NERYS HOWELL

BWYD CYMRU YN EI DYMOR

WELSH FOOD BY SEASON

Argraffiad cyntaf: 2020

© Hawlfraint Nerys Howell a'r Lolfa Cyf., 2020

Mae hawlfraint ar gynnwys y llyfr hwn ac mae'n anghyfreithlon
llungopïo neu atgynhyrchu unrhyw ran ohono trwy unrhyw
ddull ac at unrhyw bwrpas (ar wahân i adolygu) heb gytundeb
ysgrifenedig y cyhoeddwyr ymlaen llaw

Dymuna'r cyhoeddwyr gydnabod cymorth ariannol
Cyngor Llyfrau Cymru

Lluniau'r clawr: Phil Boorman
Steilydd: Cadi Matthews
Cynllun y clawr: Dyfan Williams

Rhif Llyfr Rhyngwladol: 978 1 78461 897 1

Cyhoeddwyd, rhwymwyd ac argraffwyd yng Nghymru gan
Y Lolfa Cyf., Talybont, Ceredigion SY24 5HE
gwefan www.ylolfa.com
e-bost ylolfa@ylolfa.com
ffôn 01970 832 304
ffacs 832 782

I gofio fy rhieni
Hedydd a Jenny Jones, Siop y Seld, Caerfyrddin

To remember my parents
Hedydd and Jenny Jones, Siop y Seld, Carmarthen

DIOLCHIADAU

Diolch yn fawr i bawb fu'n rhan o'r gwaith i gael y llyfr yma ynghyd – teulu a ffrindiau oedd mor gefnogol ac yn barod i flasu ac i drio pob rysáit dro ar ôl tro!

Diolch i Meleri Wyn James, Anwen Pierce a Robat Trefor am y gwaith golygu, Dyfan Williams am y dylunio ac yn arbennig i Phil Boorman am ei waith ffotograffiaeth safonol. Diolch mawr i'm ffrind Elin Hefin am ei chefnogaeth, amynedd a chyngor drwy'r broses.

Diolch i Lywodraeth Cymru ac i Hybu Cig Cymru am ganiatâd i ddefnyddio rhai lluniau.

Lluniau gan Phil Boorman
Steilydd bwyd – Nerys Howell
Dylunio – Dyfan Williams

Thank you to everyone who was involved in making this book happen – family and friends who were so supportive and ready to taste and eat each recipe time and time again!

Thank you to Meleri Wyn James, Anwen Pierce and Robat Trefor for their editorial work, to Dyfan Williams for the design and a special thank you to the talented Phil Boorman for some superb photography. A big thank you to my friend Elin Hefin for her support, patience and advice along the way.

Thank you to the Welsh Government and Meat Promotion Wales for their permission to use some images.

Photography by Phil Boorman
Food stylist – Nerys Howell
Designer – Dyfan Williams

Dathlu'r lleol, y tymhorol a'r cynaliadwy

Rwy wrth fy modd yn coginio. Yn codi llysiau sydd wedi cael eu tyfu yn yr ardd ac yn defnyddio cig o'r fferm i greu pryd blasus i'r teulu. Does yna ddim byd gwell na darparu eich bwyd eich hun. Rwy wedi byw erioed ar fferm Tyn Llwyfan ar lethrau'r Carneddau yng ngogledd Cymru ac wrth fy modd yn cynhyrchu bwyd ar gyfer aelodau eraill y teulu ac yn gwneud hynny mewn ffordd gynaliadwy.

Mae bwyd cartre yn llawer gwell na bwydydd parod. Mae yna rywbeth gwerthfawr iawn mewn rhoi amser, gofal a lot fawr o gariad i mewn i goginio pryd bwyd. Mae'r cariad yna i'w flasu yn hoff ryseitiau'r teulu.

Mae ryseitiau Nerys Howell yn llawn cynhwysion Cymreig, yn tynnu dŵr o'r dannedd. Wrth bori trwy'r ryseitiau mae'n amlwg fod y gogyddes hon wedi creu prydau gwerth chweil i rannu efo teulu a ffrindiau.

Mae ffermio yn fwy na jobyn o waith, mae'n ffordd o fyw. Fel ffermwr, rwy'n hynod o falch fod Nerys yn canolbwyntio ar fwyd lleol, tymhorol a chynaliadwy yn ei chyfrol newydd. Mae'r prydau yn y llyfr gwych hwn yn ddathliad o'r dewis o fwydydd a'r safon sydd ar gael i ni yng Nghymru. Wrth gyrchu bwyd lleol rydym yn cael blas unigryw ar ardal arbennig, boed yn fenyn, yn gaws, yn gig neu'n win.

Mae cyd-fwyta yn fwy na ffordd o borthi'r corff. Mae'r broses o ddod at ein gilydd i fwyta hefyd yn cadarnhau ein perthynas â'r bobol bwysig yn ein bywydau. Gobeithio y gwneith y llyfr yma ffrwythloni eich pleser mewn bwyd a choginio, ac annog ambell un i brynu yn lleol a thymhorol ac i dyfu bwyd mewn ffordd gynhaliol, amgylcheddol ac iach.

Wrth gwcio'ch bwyd eich hun rydych yn gwybod yn union beth sydd wedi mynd i mewn i'r pryd ac fe allwch olrhain y bwyd hwnnw. P'un ai yw hwnnw'n fraster neu'n halen rydych yn penderfynu beth a faint ac yn gwybod yn union beth ydych yn ei fwyta! Mae hynny'n hollbwysig. Mae'r boddhad hwn, yn ogystal â'r gallu i ddarparu bwyd maethlon, yn fwynhad amhrisiadwy. Mwynhewch!

GARETH WYN JONES
Hydref 2020

Celebrating the local, the seasonal and the sustainable

I love cooking. Digging up vegetables grown in our garden and preparing meat from the farm to create tasty meals for the whole family. There is no better feeling than being able to provide your own food. I've lived at Tyn Llwyfan farm, situated on the slopes of the Carneddau mountains in North Wales, all my life and take pride in producing meals for the members of my family and doing so in a sustainable way.

Home made food is far superior to ready meals. There's something very special about taking time and care and putting lots of love into cooking a meal. You can taste the love in the family's favourite recipes.

Nerys Howell's mouthwatering recipes are full of Welsh ingredients, and pouring through the recipes it is clear that she has created truly special meals to be shared with your family and friends.

Farming is more than a job, it is a way of life. As a farmer I'm delighted that Nerys has chosen to focus on local, seasonal and sustainable foods in her new book. The recipes in this excellent collection are a celebration of the wealth and the quality produce which are available to us in Wales. Whether it is butter, meat or wine – each product is a reflection of it's locality.

Eating together is more than a way to feed the body – the ritual of gathering together to eat seals our relationship with the most important people in our lives. I hope this book enriches your pleasure in life and in cooking, and inspires some of you to buy locally and seasonally and to grow food in a healthy and sustainable way which is good for the environment.

By preparing your own meals you will know exactly what is on your table and you will be able to trace the source of your food. Whether it is fat or salt – you get to decide exactly what and how much to use so you know exactly what you are eating. This is essential. That pleasure, in addition to the skill of producing nutritional food, is invaluable. Enjoy!

GARETH WYN JONES
October 2020

Bwytwch yn lleol, yn dymhorol ac yn llawn blas!

Fy atgofion cynharaf o brofi bwydydd yn eu tymor yw'r rhai o'm magwraeth ar y fferm deuluol yn Saron, Llandysul – casglu wyau newydd eu dodwy ben bore, bwydo'r lloi bach, blasu tarten riwbob gynta'r flwyddyn, arogl bara cartre yn pobi yn yr Aga, sacheidiau o datws newydd eu codi o'r cae cyfagos, sŵn y cyrc yn tasgu yn y lleithdy ganol nos wrth i'r poteli *ginger beer* ffrwydro, hel mwyar o'r cloddiau, casglu llus o ben y rhos, Llangeler, stemio'r pwdinau Nadolig yn ystod gwyliau 'wythnos datws' fis Hydref a phlyfio twrcwn ar gyfer gwledd y Nadolig.

Rwy wedi bod yn hyrwyddo bwydydd o Gymru ac yn gweithio gyda busnesau bwyd a diod fel rhan o fy ngwaith o ddydd i ddydd ers blynyddoedd ac yn rhannu gyda'r diwydiant y manteision o brynu, gweini a gwerthu bwyd a diod Cymreig. Wedi dychwelyd i Gymru dros ugain mlynedd yn ôl fe drawodd fi nad ydym fel cenedl yn clodfori cynnyrch ein gwlad, ac rwy wedi bod yn canolbwyntio ers hynny ar rannu ein cyfrinach.

Man cychwyn y ryseitiau ar gyfer y gyfrol hon oedd y prif gynnyrch sydd ar gael yn ei dymor, cynnyrch y gellir ei brynu'n lleol. Mae'r ryseitiau'n dechrau yn y gwanwyn pan mae'r ddaear yn dechrau cynhesu, y dyddiau yn ymestyn ac addewidion am ddewis cyffrous o lysiau gwyrdd, ffrwythau, cigoedd a bwyd môr i greu prydau ysgafn a blasus. Daw gwledd ac amrywiaeth helaeth o lysiau a ffrwythau yn yr haf, y tymor mwyaf o ran tyfiant, a phopeth yn llawn blas ac ar ei orau. Wrth i'r haf droi at yr hydref mae'n bryd meddwl am gynaeafu'r tymor o liwiau gwyrdd dwfn, melyn tywyll ac oren llachar – llysiau a ffrwythau sy'n llawn ffytogemegau ac sy'n helpu i atal clefydau. Yn y gaeaf, gyda'r nosweithiau'n hir a'r diwrnodau'n oerach, rydym ni'n dueddol o droi at fwydydd cysurlon, cynnes fel cawl a chaserols, sydd yn fwy swmpus ac yn llenwi'r bol.

Er mwyn bwyta deiet sy'n llawn cynnyrch lleol mae angen newid y ffordd rydym ni'n meddwl am fwyd. Yn lle prynu'r hyn sy'n gyfleus mae angen edrych ar beth sydd ar ei orau ar adegau arbennig o'r flwyddyn. Mae afalau ar gael o Awst i Ionawr, mefus a thomatos o Fai i Fedi, a digonedd o fresych, winwns a thatws drwy'r flwyddyn. Gellir ymestyn y tymhorau yma drwy rewi a chadw bwyd trwy biclo, gwneud jam, catwad ayb, fel rydym wedi ei wneud ers canrifoedd.

Mae yna fanteision eraill i fwyta'n fwy lleol – mae'r bwyd yn fwy ffres, yn llawn blas ac ar ei orau o ran ansawdd a maeth, ac felly mae'n fwy iach! Mae llysiau sy'n cael eu cynaeafu a'u rhewi yn eu tymor dipyn yn fwy maethlon na'r rhai sydd wedi ein cyrraedd allan o'u tymor ar awyren! Mae'r British Nutrition Foundation yn argymell ein bod ni'n bwyta llysiau a ffrwythau yn eu tymor, gan eu bod yn cynnwys lefelau uwch o fitamin C. Mae'n hiechyd ni yn gwbl ddibynnol ar yr hyn rydym ni'n bwydo'r corff. Mae nifer o fanteision i fwyta deiet yn llawn cynnyrch maethlon: mwy o egni, llai o salwch, ac fe fyddwn yn edrych yn fwy bywiog. Ar ddeiet gwael o fwydydd wedi'u prosesu bydd lefelau egni yn amrywio, pwysau gwaed yn codi, colestrol yn cronni ac fe fyddwn yn fwy tueddol o fagu pwysau a mynd yn anghofus wrth i ni heneiddio. Un peth sy'n ddiamwys yw'r ffaith bod iechyd da yn gwbl ddibynnol ar ddeiet cytbwys, cyflawn. Deiet yw hwn sydd â digon o ffeibr, protin a pheth carbohidrad, gyda digonedd o lysiau a ffrwythau, grawn, cnau, hadau a digon o hylif.

Mae'r maeth mewn ffrwythau a llysiau yn dirywio gydag amser ac felly mae'n bwysig ystyried pa mor bell mae'r bwyd wedi teithio a pha mor hir oedd y daith honno. Wrth i mi baratoi'r llyfr hwn, rydym yng nghanol pandemig Covid-19 ac mae prinder rhai bwydydd wedi amlygu'r pwysigrwydd o ddefnyddio bwyd dros ben a fyddai fel arfer yn cael ei daflu! Mae'n anodd credu, ond rydym ni fel cenedl yn taflu gwerth rhyw £70 y mis yr un o fwyd, sy'n cyfateb i 108kg o fwyd bob blwyddyn; er yn ystod y cyfnod hunanynysu o achos y Covid, rydym ni wedi bod yn fwy cydwybodol ac yn llai gwastrafflyd – gobeitho y gwnaiff yr arfer yma barhau!

Mae'r argyfwng hefyd wedi agor ein llygaid i sefyllfa fregus ein system fwyd ac wedi tanlinellu pwysigrwydd cefnogi ffermwyr a busnesau bwyd lleol. Pan nad oedd modd cael slot siopa yn yr archfarchnad, daeth ein siopau lleol yn hafan hanfodol, ac roedd nifer o fusnesau bwyd Cymreig yn cynnig gwasanaeth dosbarthu uniongyrchol. Mae'r pandemig byd-eang wedi pwysleisio gwendidau bwydydd wedi'u gorbrosesu, gan ein bod yn gwbl ddibynnol ar gadwyn fwyd lawer mwy cymhleth. Mae mwy o gyfleoedd i unrhyw haint ledaenu am fod cynifer o bobl yn gysylltiedig â'r broses o dyfu, cynaeafu, prosesu, cynhyrchu, dosbarthu a mân-werthu'r cynnyrch hwn. Fe all system fwyd ranbarthol gynnig diogelwch bwyd, annibyniaeth, gofal a chadwraeth ein mannau agored, cyfle i ddysgu am amaethyddiaeth a chymaint mwy. Pan mae cymunedau'n dibynnu ar gadwyn fwyd fyd-eang, sy'n dod o hyd i'r rhan fwyaf o'r cynnyrch dramor, mae perygl cynyddol y gallwn ddioddef o brinder bwyd mewn argyfwng. Mae ffermio lleol sydd wedi arallgyfeirio yn ein galluogi i fwyta cynnyrch llawn maeth yn hytrach na bwydydd wedi'u prosesu sy'n llawn calorïau gwag.

Mae bwyd lleol yn fwy cynaliadwy ac yn well i'r amgylchedd, gan fod llai o drafnidiaeth ynghlwm wrth ei brosesu a'i ddosbarthu, ac mae'r gadwyn fwyd yn fyrrach sy'n golygu llai o wastraff a llai o becynnu. Mae'n gyfle i gefnogi busnesau lleol a chyfrannu i'r economi leol – mae'r bunt yn aros yn lleol! Mae rhai'n meddwl bod cynnyrch o Gymru yn dipyn drutach, ond mae prynu cynnyrch yn ei dymor yn aml yn rhatach gan ein bod yn prynu pan fod gormodedd ohono ac mae'n costio llai i'r ffermwyr i'w storio a'i gludo.

Wrth brynu'n uniongyrchol a dod i nabod y busnes a'r cynhyrchwyr, cawn well dealltwriaeth a gwerthfawrogiad o'r amser a'r angerdd sydd ynghlwm â chynhyrchu'r bwyd. Er bod rhyw 80% ohonom yn dal i siopa mewn archfarchnadoedd mae'r rhod yn dechrau troi wrth i ni ddod yn fwy ymwybodol o gynnwys deiet iach a dechrau gwerthfawrogi ac yn chwilio am fwyd ffres, lleol, iach o safon.

Rwy'n siŵr ein bod ni i gyd ar brydiau yn dueddol o fwyta yr un math o fwydydd, ond wrth goginio yn ôl y tymor mae'n gyfle i gyflwyno bwydydd newydd i'r deiet – rhai nag ydym o reidrwydd wedi rhoi cynnig arnyn nhw o'r blaen, ac fe fydd hyn, yn y pen draw, yn ein galluogi i fwyta deiet mwy cytbwys. Yn aml fe gewch ambell beth anghyffredin mewn bocs llysiau a ffrwythau gan ffermwyr lleol ac mae hynny'n ein gorfodi i drio rhywbeth newydd!

Mae pob tymor yn y llyfr hwn yn dechrau gyda ryseitiau am brydau mwy ysgafn a dechreufwydydd, cyn mynd ymlaen at syniadau am brif gyrsiau ac ambell beth melys i orffen.

Gobeithio y bydd y gyfrol hon yn eich ysbrydoli i drio ambell rysáit, i werthfawrogi'r tymhorau ac i siopa am fwyd a diod yn fwy lleol.

Nerys Howell
Medi 2020

Eat locally, seasonally and full of flavour!

My first memories of experiencing seasonal food are from my childhood, spent on the family farm in Saron, Llandysul – collecting freshly laid eggs first thing in the morning, feeding the young calves, tasting the first rhubarb tart of the year, the aroma of fresh Aga-baked bread, sacks of new potatoes just harvested from the field, the sound of the corks popping in the middle of the night as the ginger beer bottles exploded, foraging blackberries from the hedgerows and whimberries from the top of the *rhos*, Llangeler, steaming the Christmas puddings during 'potato week' in October and plucking turkeys for the Christmas feast.

I have been promoting Welsh produce and working with food and drink businesses as part of my day job for years, and relish sharing the benefits of sourcing, serving and selling Welsh food and drink. After returning to Wales over twenty years ago I quickly realised that as a nation we were not the best for beating the drum about our fantastic produce and it has been my mission since then to share our secret.

The starting point for the recipes in this book was the main seasonal food which can be bought locally. Spring is a natural starting point when the soil starts warming, and the days are longer with the promise of an abundance of fresh spring green vegetables, fruit, meat and seafood to create light and tasty dishes. Summer is the biggest growing season of the year and provides us with a feast of the best fruit and vegetables, which will be full of flavour. As summer turns to autumn it is time to think about harvesting the season of deep greens, dark yellows and vibrant oranges – fruit and vegetables which are rich in disease-fighting phytochemicals. In the winter, when the nights get longer and the days colder, we tend to turn to heartier, warming comfort foods of soups and casseroles to sustain us.

To eat a local based diet requires a change in how we perceive food. Instead of choosing what's convenient we must think what is at its best at particular times of the year. Apples are available from August to January, strawberries and tomatoes from May to September, and there are plenty of cabbages, onions and potatoes throughout the year. We can extend these seasons by freezing and preserving, by making pickles, jams and chutneys, which is a centuries-old tradition.

There are other benefits to eating more locally – the food is fresher, full of flavour, of better quality and more nutritious and therefore better for our health! Vegetables which have been harvested and frozen in season are higher in nutrients than those flown in out of season from abroad! The British Nutrition Foundation recommends that we eat fruit and vegetables in season because they have a higher vitamin C content. Our wellbeing is wholly dependent on what we feed our bodies. There are many advantages to eating a diet rich in nutritious food: boundless energy, a life devoid of illness, and you will appear more vibrant. Eating a highly processed diet will mean our energy levels will fluctuate, cholesterol accumulates, blood pressure rises, you will gain weight and become more forgetful as you age. One thing which is unequivocally final is that good health requires an all-round balanced diet. A good diet contains fibre, protein, some carbohydrate with plenty of fruit, vegetables, grains, nuts, seeds and plenty of fluids.

The nutrients in fruit and vegetables deteriorate with time so it's important to consider how far the food has travelled and for how long before it reaches you. As I write this book we are in the middle of the Covid-19 pandemic, and the shortage of some food items has highlighted the necessity of using food which we would have normally thrown away! It is hard to believe, but as a nation we typically throw away around £70 worth of food per person each month, which equates to 108kg of food each year! However, it is encouraging to hear that during isolation we have been more conscientious and less wasteful – long may this habit continue!

The pandemic has also exposed the fragility of our food system and highlighted the importance of supporting farmers and local food producers. The inability to secure a shopping slot at the supermarkets has resulted in local retailers becoming an essential haven, and many Welsh producers have been offering a direct delivery service. The global pandemic has highlighted the weaknesses in the production of heavily processed foods which are dependent on a complex supply chain. This increases exposure and makes it easier for viruses to spread, as so many humans are involved in the growing, harvesting, processing, manufacturing, distribution and retailing of food products. Regional food systems can provide food security, independence, the preservation of open spaces and opportunities for agri-education – and so much more. When communities are dependent on global supply chains which source the majority of their food products from abroad, we are far more exposed to food shortages during a pandemic. Localised, diversified farming is better able to supply us with nutritious foods instead of processed foods which are full of empty calories.

Local food is more sustainable and better for the environment, with less transportation during processing and distribution, and the supply chain is shorter which means there is less waste and packaging. It is an opportunity to support local businesses and contribute to the local economy – and you keep the pound local. Some believe that Welsh produce is more expensive, but sourcing local food which is in season is often cheaper as you buy when there is a glut and it costs less for the farmers to store and distribute.

Buying local not only provides an opportunity to build a relationship with businesses and producers but also allows a better understanding and appreciation of the time and passion which goes into producing quality food. Although around 80% of us shop in the larger supermarkets, the wheel is beginning to turn as we become more aware of what a healthy diet looks like as we turn to sourcing fresh, local, healthy quality foods.

I'm sure we are all guilty of keeping to and eating the same types of food, but cooking seasonally gives us the opportunity to introduce new foods into our diet – some of which we would not normally have tried, which results in experiencing a more balanced diet. We often find an unusual ingredient in our local farmers' fruit and vegetable box which forces us to eat something new!

Each season in the book starts with lighter meals and starters, before moving onto main courses and finishing with a few sweet treats.

I hope you will be inspired to try some of the recipes and appreciate the seasons by shopping for more local food and drink.

Nerys Howell
September 2020

Bwyd lleol
– y cynhwysion

Mae ffermwyr, pysgotwyr a chynhyrchwyr Cymru wedi bod wrthi am ganrifoedd, o genhedlaeth i genhedlaeth, yn creu cynnyrch o'r safon uchaf trwy weithio ar dirwedd sy'n ddelfrydol ar gyfer tyfu, magu a chasglu bwyd.

Fe ddechreuodd fy niddordeb mewn bwyd yn gynnar wrth wylio a helpu'r ddwy fam-gu a Mam yn y gegin ar y ffermydd teuluol yn Llangeler a Chapel Iwan, ac roedd eu dylanwad yn allweddol wrth i mi benderfynu ar yrfa yn y byd bwyd ac arlwyo. Rwy wrth fy modd yn coginio gartref ac yn y gwaith, ac yn cael pleser mawr yn paratoi'r gorau o gynnyrch lleol o ddydd i ddydd.

Mae creu pryd blasus yn ddibynnol ar ansawdd y cynnyrch crai. Yn ffodus, mae gennym ddewis eang o fwydydd safonol yng Nghymru gyda nifer wedi ennill gwobrau, gan gynnwys rhai sydd wedi derbyn statws Enwau Bwyd Gwarchodedig (PFN) gan yr Undeb Ewropeaidd. Bwydydd yw'r rhain sydd wedi cael cydnabyddiaeth oherwydd mai yma yng Nghymru yn unig y gellir eu cynhyrchu.

Rwy wedi cynnwys nifer o'r cynhwysion hyn yn ryseitiau'r gyfrol yma, gan gynnwys cig oen, cig eidion, porc, seidr, gwin, bara lawr, Halen Môn, caws traddodiadol Caerffili, eirin Dinbych, tatws cynnar Sir Benfro a chregyn gleision Conwy.

Wrth fwyta cynnyrch lleol rydym yn naturiol yn bwyta bwydydd sydd yn eu tymor ac sy'n ein hailgysylltu ni â'r tir, gyda natur a tharddiad ein bwyd. Mae'n ffordd gynaladwy o siopa a choginio ac mae'r rhan fwyaf o'r prif gynhwysion yn gynhenid i Gymru – dyma restr o'r prif rai.

Local food
– the ingredients

For centuries, from one generation to the next, Welsh farmers, fishermen and producers have been producing the highest quality food by working a land which is perfect for growing, breeding and gathering food.

My interest in food began as a young child watching and helping my two grandmothers and mother in the kitchen at the family farms in Llangeler and Capel Iwan, west Wales, and their influence was key when it came to deciding on a career in the world of food and hospitality. I love cooking at home and at work, and take great pleasure in preparing and cooking the best of local produce.

In my opinion, the quality of the core ingredients is instrumental in producing a tasty meal. We are fortunate in Wales that we have a wide variety of high quality ingredients with many having won awards, including those that have received protected food names (PFN) from the European Union. These foods have received recognition because it is only in Wales they can be grown and produced.

I have included many of these ingredients in the recipes, including Welsh lamb, Welsh beef, pork, cider, wine, laverbread, Halen Môn, traditional Caerphilly cheese, Denbigh plums, Pembrokeshire early potatoes and Conwy mussels.

By eating local foods we automatically eat food which is in season, reconnecting us with the land, nature and the origin of the food. It is a sustainable way of shopping and cooking, and most of the main ingredients in these recipes are native to Wales. Here's a list of the main ones.

Cig

Wrth ddewis a bwyta cig mae'n bwysig gwerthfawrogi aberth yr anifail ar gyfer ein lles a'n hiechyd, ac i arbrofi â ffyrdd o ddefnyddio a choginio pob rhan o'r anifail gan geisio osgoi gwastraff. Ceisiwch fwyta cig Cymreig o safon sydd wedi'i fagu ar ein porfeydd gwelltog, (serch y ffasiwn ddiweddar o gael deiet heb gig), ac mae'n well bwyta llai o gig – a bod y cig hwnnw o safon – na bwyta cig rhad wedi'i allforio o ben draw'r byd!

Mae pobl o bob cwr o'r byd yn mwynhau cig coch o Gymru ac mae'n rhan bwysig o'n heconomi bwyd a diod, ond gan mai dim ond 5% o'r cig coch a gynhyrchir yng Nghymru sy'n cael ei fwyta yma mae'n bwysig ein bod yn cefnogi ein ffermwyr wrth fwyta cig lleol. Wrth chwilio am y stamp arbennig gallwch warantu safon a tharddiad y cig, a hyd yn oed ei olrhain i'r fferm lle cafodd yr anifail ei fagu. Trwy siopa gyda'ch cigydd neu yn y farchnad leol cewch gyfle i drafod tarddiad y cig, y toriadau mwyaf

blasus i'w defnyddio a'r ffordd orau i'w coginio. Mae'n gyfle i fanteisio ar arbenigedd a sgiliau'r cigydd er mwyn gwneud y gorau o'r cig.

Rhowch gynnig ar y wledd o ryseitiau cig oen yn yr haf pan mae'r cig hwnnw ar ei orau, ac ewch am y dewis da o seigiau cig eidion yn y gaeaf pan fod angen mwy o fwyd cysurlon. Mae un neu ddwy rysáit yn defnyddio cig carw sy'n cael ei ffermio yn ardal Aberhonddu (yn y Brecon Venison Centre) neu yn byw'n wyllt ar rai o stadau'r wlad. Mae'n gig blasus, gyda llai o fraster dirlawn a cholesterol na chig eidion ac felly'n arbennig o iach.

Meat

When selecting and eating meat, it is important that we appreciate the sacrifice the animal has made for our health and wellbeing, and to avoid waste we should try to use and cook with different parts of the animal. Aim to eat the best quality Welsh meat you can afford which has been grass fed (despite the latest trends of eating a diet without meat). Eating less meat, but eating meat of a higher quality, is better for us than consuming cheaper meat which has been imported from the other side of the world.

People from all parts of the world enjoy Wales' red meat and it is an important part of our food economy. Having said that, only 5% of the red meat which is produced in Wales is actually eaten here, so it is essential that we support our farmers by eating local meat. If you look out for the special stamp; this guarantees the origin and quality of the meat which you can trace back to the farm where it was reared. By shopping at your local butchers or market you

have an opportunity to learn about the source of the meat, the best and tastiest cuts and obtain advice on the best ways to cook them, as your butcher will have the skills and specialist knowledge to help you.

I have kept most of the lamb recipes for the summer section which is when lamb is at its best. The beef dishes are included in the winter section as this is when we crave comfort food. There are a couple of venison recipes; this meat can be sourced wild from some of the estates across Wales or farmed in the Brecon Beacons (Brecon Venison Centre). It is a healthy and flavoursome meat with less saturated fat and cholesterol than beef.

Pysgod a bwyd môr

Mae'r diwydiant pysgota yng Nghymru yn cynhyrchu bwyd môr a physgod o'r safon gorau, ond y broblem fwyaf yw dod o hyd i fusnesau sy'n gwerthu pysgod lleol gan fod y rhan fwyaf yn cael eu hallforio ledled y byd! Mae gan farchnadoedd fel Abertawe, Caerdydd a siopau arbennig ym Mhen Llŷn, Sir Fôn, Ceredigion a Sir Benfro ddewis arbennig o fwyd môr lleol ac mae rhestr o siopau eraill ar gael ar wefan Busnes Cymru: bit.ly/3guKZlk

Dyma linc i fap o'r siopau pysgod lleol: bit.ly/38uroin

Cadwch olwg am bysgod sy'n cael eu pysgota ar hyd ein harfordir ac yn ein hafonydd a'n llynnoedd, gan gynnwys macrell, draenog y môr, lleden, lleden ddu, hyrddyn, penfras, brithyll, eog a sewin, ynghyd â bwyd môr sy'n cynnwys cranc, cimwch, corgimychiaid, cregyn bylchog, cregyn gleision, cocos a gwichiaid.

Fe welwch chi fwy o ryseitiau bwyd môr yn yr haf, gan fod y prydau yn fwy ysgafn, er mae'n wir dweud bod cranc ar gael drwy'r flwyddyn a chregyn gleision ar eu gorau rhwng Medi ac Ebrill.

Fish and seafood

The fishing industry in Wales produces fish and seafood of the highest quality, although the biggest problem is finding businesses which sell local fish as most of it is exported across the world! However, markets such as Swansea, Cardiff and fishmongers and retailers in the Llŷn peninsula, Anglesey, Ceredigion and Pembrokeshire have a good selection of local seafood and the following link provides a list of other retailers across Wales:
bit.ly/3guKZlk

This is a link to a map of the local fish retailers:
bit.ly/38uroin

Look out for fish sourced from our coastline, our rivers and lakes, including mackerel, seabass, dabs, plaice, mullet, cod, trout, salmon and sewin and seafood including crab, lobster, prawns, scallops, mussels, cockles and whelks.

You'll notice more seafood recipes in the summer when we enjoy lighter dishes, although you'll be able to source crab all year round, while mussels are at their best between September and April.

Cynnyrch llaeth

Mae yna ddewis eang o gynnyrch llaeth Cymreig sy'n cynnwys llaeth, hufen, hufen iâ, iogwrt a menyn a nifer helaeth o gawsiau arorbyn. Slawer dydd, yr hen arfer oedd defnyddio'r llaeth oedd dros ben er mwyn cynhyrchu caws; yn y blynyddoedd diweddar mae sawl un wedi ailgydio yn yr arfer wrth i ffermwyr arallgyfeirio.

Ymhlith y cawsiau gorau mae Caws Cenarth, Perl Wen a Pherl Las, a chawsiau Saval a'r Celtic Promise, cawsiau arobryn sydd wedi ennill mwy o wobrau Prydeinig na'r un caws tebyg. Pan gyfeirir at gaws cryf yn y llyfr hwn, fe ellir defnyddio caws *cheddar* Cymreig tebyg i un organig Hafod, Teifi, Caws Cryf Cenarth, Pwll Du gan gwmni caws Blaenafon, Snowdonia Black Bomber, Collier's ayb. Mae tipyn mwy o gawsiau glas o Gymru ar gael erbyn hyn, fel Perl Las, Dôl Las, Môn Las, Radnor Blue a Tysul Blue, ac fe ellir defnyddio unrhyw un o'r rhain yn y Salad caws Perl Las a gellyg ar

dudalen 94. Mae rhagor o gawsiau meddal bellach ar gael ac rwy'n cynnwys caws gafr meddal, mwyn mewn rysáit ar gyfer y ffŵl riwbob a dil mêl ar dudalen 55. Gellir defnyddio rhai o'r cawsiau meddal fel caws gafr Pantysgawn neu gaws llawn braster meddal Castell Gwyn yn lle caws meddal cyffredin.

Fe welir iogwrt Cymreig yn aml ar silffoedd ein harchfarchnadoedd, fel cynnyrch Rachel's Dairy a Llaeth y Llan, ac yn aml fe fydda i'n defnyddio iogwrt naturiol Llaeth y Llan yn lle hufen am ei fod yn drwchus ac yn blasu'n hufennog.

Mae dewis eang o fenyn hallt a dihalen Cymreig ar gael, fel Dragon, Calon Wen, Castle Dairies, Shirgar, Collier's ayb. Pan gyfeirir at fenyn yn ryseitiau'r gyfrol hon dylid defnyddio menyn hallt Cymreig oni bai bod y rysáit yn nodi'r angen am fenyn dihalen.

Dairy produce

We have a wide selection of dairy produce in Wales including milk, cream, ice cream, yoghurt, butter and plenty of award-winning cheeses. Traditionally, when there was a surplus of milk the custom was to turn to cheesemaking and this custom has been revived in recent years as farmers diversify.

Some of the best cheeses are Caws Cenarth, Perl Wen, Perl Las, and award-winning Saval and Celtic Promise which have won more British prizes than any other similar cheese. When referring to strong cheese in the book you can use a Welsh cheddar like Hafod organic, Teifi, Caws Cryf Cenarth, Pwll Du from Blaenafon, Snowdonia Black Bomber, Collier's etc. Wales also has a good selection of blue cheeses including Perl Las, Dôl Las, Môn Las, Radnor Blue and Tysul Blue, and you can use any of these in the recipe for the Perl Las and pear salad on page 94. There is also a selection of cream cheeses now available and a soft, mild goat's cheese is used in the rhubarb pudding on page 55. You could also substitute your usual cream cheese with some of these soft cheeses such as Pantysgawn goat's cheese or Castell Gwyn full fat soft cheese.

You'll often see Welsh yoghurts on the supermarket shelves, including produce from Rachel's Dairy and Llaeth y Llan, and I'll often replace cream in recipes with Llaeth y Llan's natural yoghurt as it's so thick and creamy.

There is a plentiful choice of Welsh salted and unsalted butters like Dragon, Calon Wen, Castle Dairies, Shirgar, Collier's etc. When referring to butter in the recipes, use salted Welsh butter unless the recipe states otherwise.

Ffrwythau, llysiau a pherlysiau

Mae rhwydwaith fawr o farchnadoedd ffermydd yn cynnig llysiau a ffrwythau ffres, lleol, tymhorol gan gynhyrchwyr o'r ardal, ac mae nifer o dyfwyr lleol hefyd yn dosbarthu bocs wythnosol yn syth i'r cartref gan werthu cynnyrch ar ei orau yn ôl y tymor.

Mae ambell siop groser yn gwerthu cynnyrch sydd wedi'i dyfu ar rai o randiroedd yr ardal pan fydd gormodedd o lysiau tymhorol ar gael.

Rwy'n lwcus bod gen i le yn yr ardd i dyfu ffrwythau a llysiau, ac rwy wrth fy modd yn cynaeafu cynnyrch organig o dymor i dymor ac yn cael cyfle i goginio, rhewi a storio'r cynnyrch sydd dros ben a'i fwyta ar adeg arall o'r flwyddyn. Prynwch lysiau a ffrwythau organig os yw'n bosib gan fod tipyn mwy o faeth yn y rhain nag mewn llysiau cyffredin.

Edrychwch am frand Blas y Tir sydd ar gael ar silffoedd y rhan fwyaf o archfarchnadoedd erbyn hyn, gyda dewis o datws, blodfresych, cennin a llysiau eraill sy'n cael eu tyfu gan ffermwyr Sir Benfro. Mae gan datws cynnar Sir Benfro, a dyfwyd yno ers 1700, statws Ewropeaidd PGI (teitl ar gyfer tatws sydd wedi'u tyfu yn y sir yn unig), ac maen nhw'n werth eu bwyta – rhowch gynnig ar y rysáit Salad cig moch a thatws Sir Benfro gyda dresin salad ar dudalen 37.

Defnyddiwch berlysiau ffres os ydyn nhw ar gael. Mae bron pawb yn medru eu tyfu, a gellir gwneud hyn hyd yn oed mewn pot ar silff y gegin. Mae modd sychu perlysiau gwydn fel teim, llawryf a rhosmari trwy eu hongian mewn lle sych a'u defnyddio trwy gydol y flwyddyn. Gallwch rewi perlysiau mwy meddal fel persli, coriander, basil a tharagon. Torrwch nhw'n fân a'u rhoi mewn bocs ciwbiau iâ, rhoi dŵr ar eu pennau a'u hychwanegu at brydau yn syth o'r rhewgell.

Fruit, vegetables and herbs

There is a wide network of farmers' markets offering local and seasonal fruit and vegetables from local producers, and a number of local growers distribute weekly boxes direct to your home full of the best seasonal produce.

A few grocers will sell produce which has been grown on local allotments when there is a surplus of seasonal vegetables available.

I feel fortunate that we have enough room in our garden to grow fruit and vegetables, and I love to harvest seasonal organic produce and cook, freeze and preserve the surplus to enjoy at another time of the year. Do try and buy organic fruit and vegetables if possible, as these are often more nutritious than most others.

Look out for the Blas y Tir brand which you will find at most supermarkets with a selection of potatoes, cauliflower, leeks and other vegetables which are grown by a cooperative of farmers in Pembrokeshire. Pembrokeshire early potatoes have been grown in the county since 1700 and have been awarded the European Union status PGI, which means that only potatoes grown in the county can be named thus. Try them in the Potato and bacon salad recipe on page 37.

Use fresh herbs if possible when they're available. Most of us can grow some herbs even on a kitchen windowsill. You can dry the hardier herbs such as thyme, rosemary and bay leaves by hanging them in a dry place and then you can use them all through the year. If you freeze the softer herbs such as parsley, coriander, basil and tarragon, chop them finely and pop into an ice cube tray, top with water before freezing and you can then add them to any recipe straight from the freezer.

Cynnyrch eraill

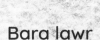

Halen

Erbyn hyn mae sawl cwmni'n cynhyrchu halen môr ar afordir Cymru, gan gynnwys Halen Môn, Pembrokeshire Sea Salt Co. o Gwmyreglwys, Pen Dinas, Halen Gŵyr a Halen Dewi, Bae Whitesands. Wrth sesno rysáit rwy'n dueddol o ychwanegu halen ar ddiwedd y broses goginio.

Wyau

Mae wyau yn becyn cyfan o egni a daioni. Wyau maes mawr fydda i'n eu defnyddio bob tro wrth goginio, gan fod eu blas a'u hansawdd cymaint yn well nag wyau eraill. Os allwch chi, prynwch wyau organig Cymreig fel y rhai o fferm Nantclyd, Cwmystwyth, lle mae'r ieir yn crwydro'r caeau'n rhydd ac yn dodwy wyau safonol – y mae'r melynwy bron yn oren. Bydd ansawdd eich pobi cymaint yn fwy blasus wrth ddefnyddio'r wyau gorau!

Blawd

Mae gan Gymru sawl melin sy'n cynhyrchu blawd da, gan gynnwys Melin Talgarth, Melin Llandudoch, Melin Ddŵr Bacheldre, Melin Bompren yn Amgueddfa Sain Ffagan a Felin Ganol, Llanrhystud. Mae'r blawd o ansawdd uchel am ei fod yn cael ei falu yn y dull traddodiadol, ac erbyn hyn mae mwy na dewis o flawd cyflawn ar gael. Gellir defnyddio sawl cyfuniad gwahanol, fel blawd cyflawn a blawd gwyn mewn nifer o'r ryseitiau, ac mae cyfuniad o sbelt a cheirch yn gweithio'n arbennig o dda yn y rysáit Afal ac eirin gyda chnau almond crimp ar dudalen 120. Mae blawd rhyg, a ddefnyddir yn y Gacen oren a rhyg ben i waered ar dudalen 162, yn gallu lleihau colesterol, rheoli lefelau siwgr yn y corff ac yn cynnwys ffosfforws a magnesiwm.

Bara lawr

Mae bara lawr yn gynhenid i Gymru, Iwerddon a'r Alban ac yn fwyd iach sydd yn llawn haearn, iodin a mwynau eraill. Yn draddodiadol, fe fyddai'n cael ei goginio gyda blawd ceirch mewn cacennau bach a'r rheini'n cael eu ffrio gyda chig moch i frecwast ond erbyn hyn fe'i defnyddir mewn sawl ffordd gan gogyddion, fel yn y Byrger brecwast bara lawr ar dudalen 33. Fe allwch ei brynu'n ffres mewn siop bysgod neu farchnad, mewn tun fel mae Parsons yn ei werthu, neu mewn pecyn wedi'i wagbacio gan gwmni Selwyn's Seaweed. Mae'r cwmni Pembrokeshire BeachFood yn ei gyfuno â halen a sbeisys ac yn ei werthu'n sych ac mae wedi cael ei fedyddio yn 'the Welshman's Caviar'. Yr actor Richard Burton o Bont-rhyd-y-fen a ddisgrifiodd bara lawr fel caviar, mae'n debyg, gan ei fod yn ymdebygu iddo mewn lliw ac ansawdd!

Olew

Hyd y gwn i, dim ond un cwmni sy'n cynhyrchu olew had rêp yng Nghymru, sef Blodyn Aur a grëwyd gan ffermwyr o ardal Corwen – Llŷr Jones, Bryn Jones a Medwyn Roberts, gyda Geraint Hughes o Fwydydd Madryn. Tyfir y rêp, wedyn ei wasgu'n oer er mwyn gwella'r safon a'r daioni sydd yn yr olew ac yna'i roi mewn poteli. Mae gan olew had rêp lefelau uchel o omega-3, fitamin E a llai na hanner y braster dirlawn sydd gan olew olewydd. Gyda phwynt rhostio uchel mae'n ddelfrydol ar gyfer rhostio, pobi a ffrio ac mae'n drwchus ac yn dda o ran gludedd, sy'n golygu ei fod yn addas ar gyfer seigiau oer fel dresins a dips.

Other produce

Salt

There are a number of businesses harvesting salt on the Welsh coastline including Halen Môn in Anglesey, Pembrokeshire Sea Salt Co. from Cwmyreglwys, Pen Dinas, Gower Sea Salt and Halen Dewi, Whitesands Bay. I tend to use salt to season at the end of the cooking process.

Eggs

Eggs are a complete package of energy and goodness. I always use large free-range eggs when I cook as their flavour is so much better. Try and buy organic eggs if you can, such as those sold from Nantclyd Farm, Cwmystwyth, where the hens are allowed to roam freely and lay the best quality eggs with a vivid orange yolk! Your baking will be far superior if you use the best quality eggs.

Flour

Wales has a number of traditional working water mills producing quality stoneground flour including Talgarth Mill, Y Felin in St Dogmaels, Bacheldre Watermill, Melin Bompren at the National Museum of History at St Fagan, and Felin Ganol, Llanrhystud. They now offer so much more than just wholemeal flours, and you can use a combination of flour such as wholemeal and white in the recipes, and the spelt and oat mix works really well in the Apple and plum almond crisp on page 120. Rye flour can help to reduce cholesterol, control blood sugars and contains phosphorus and magnesium – which is a great excuse to use it in the Upside down orange and rye cake on page 162.

Laverbread

Laverbread is a seaweed which you'll find on exposed rocks on the coastline of Wales, Ireland and Scotland. It is a very healthy ingredient full of iron, iodine and other minerals. Traditionally it would be mixed with oats to make small round patties and cooked with bacon at breakfast time. These days chefs have found new ways of using it, as in the recipe for Laver breakfast burgers on page 33. You can buy it fresh in fishmongers or markets, tinned by Parsons, and Selwyn's Seaweed Ltd sell it vacuum packed. The Pembrokeshire Beachfood Company combine the dried laverbread with salt and spices as a seasoning, and call it 'The Welshman's Caviar'. The actor Richard Burton from Pont-rhyd-y-fen gave it this name as it is similar in colour and texture to caviar.

Oil

As far as I am aware there is only one Welsh company producing rapeseed oil in Wales which is Blodyn Aur (translated as Golden Flower), created by Corwen farmers Llŷr Jones, Bryn Jones and Medwyn Roberts, along with Geraint Hughes from Madryn Foods. The rape is harvested then cold-pressed to preserve its goodness and improve its quality before being bottled. Rape seed oil has a high omega-3 content, vitamin E and less than half the saturated fat of olive oil. With a high smoking point it is perfect for roasting, baking and frying and it has a good viscosity, making it suitable for cold dishes such as dressings and dips.

Ryseitiau
Recipes

HYDREF / AUTUMN

94 Salad caws Perl Las a gellyg
Perl Las cheese and pear salad

97 Madarch garlleg a chaws pob
Rarebit garlic mushrooms

98 Madarch Morgannwg
Glamorgan mushrooms

101 Tortilla betys, ysbigoglys a madarch
Beetroot, spinach and mushroom tortillas

102 Madarch a phannas o'r badell gyda chrwst garlleg
a phersli
Sautéed mushrooms and parsnips with garlic
parsley crumb

105 Salad blodfresych rhost gyda dresin tahini
Roasted cauliflower salad with tahini dressing

106 Cyw iâr sbeislyd a llysiau rhost
Spicy chicken with roast vegetables

109 Stêcs gamon gyda sglein afal a seidr Cymreig
Gammon steaks with apple and Welsh cider glaze

110 Pastai cig eidion, cennin a rösti tatws
Welsh beef, leek and rösti potato pie

113 Porc cnau cyll Cymreig gyda mwyar ac afal sbeislyd
Hazelnut crusted Welsh pork with spiced blackberry
and apple

114 Afal a sinsir pob gyda chwstard Penderyn
117 Baked apple and ginger with Penderyn custard

119 Cacen afal Cox a chnau cyll
Cox apple and hazelnut cake

120 Afal ac eirin gyda chnau almon crimp
Apple and plum with almond crisp

123 Torth gorbwmpen, leim a chnau pistasio
Courgette, lime and pistachio loaf

124 Cacen eirin Dinbych
Denbigh plum cake

GAEAF / WINTER

128 Cawl cennin a chaws Cymreig
Welsh cheese and leek soup

131 Cawl persli a chennin gyda chyw iâr wedi'i fygu
Parsley and leek soup with smoked chicken

133 Tarten wreiddlysiau wedi'i charameleiddio
134 Caramelised root vegetable tart

137 Cawl pwmpen sbeislyd
Spicy squash soup

138 Tatws caws pob
Rarebit loaded jacket potatoes

141 Salad gaeafol cig eidion Cymreig
Welsh beef winter salad

142 Cig eidion Cymreig, oren a sinsir wedi'u tro-ffrio
Welsh beef, orange and ginger stir fry

145 Asennau cig eidion Cymreig gyda Penderyn a blas mwg
Smokey Penderyn Welsh beef ribs

146 Cig Eidion Cymreig wedi'i goginio'n araf gyda sgons
caws pob a chennin
148 Slow cooked Welsh beef with leek rarebit scones

150 Selsig cig carw gyda chennin a chwrw
Venison sausages with leeks and ale

153 Caserol ffa coch a chnau mwnci
Red kidney bean and peanut casserole

154 Cacen figan betys a siocled
Beetroot and chocolate vegan cake

157 Bisgedi ceirch a sbelt
Oat and spelt biscuits

158 Pwdin torth sinsir a gellyg
Pear gingerbread pudding

161 Cacen clementin, cardamom ac almonau
Clementine, cardamom and almond cake

162 Cacen oren a rhyg ben i waered
Upside-down orange and rye cake

GWANWYN | SPRING

Pintxos salsa pys ac eog wedi'i fygu

Rysáit sy'n addas i'w gweini fel byrbryd gyda diodydd neu fel dechreufwyd ysgafn ar gyfer pryd mwy ffurfiol. Gallwch ei weini gyda bara a gallwch hefyd ddefnyddio gorgimychiaid yn lle'r eog.

Digon i 8

CYNHWYSION

- 200g o bys wedi'u rhewi
- 5 sibwnsyn
- ½ tsili coch
- ½ ciwcymbr
- 2 lwy fwrdd o goriander ffres
- Croen a sudd 1 leim
- 1 llwy fwrdd o olew had rêp
- 2 letysen little gem
- 75g o eog wedi'i fygu
- Bara Ffrengig neu surdoes i weini
- 1 llwy fwrdd o hadau sesame

DULL

1. Coginiwch y pys mewn dŵr berw am 2–3 munud, gwaredu'r dŵr a stwnsio'r pys mewn powlen tan yn weddol llyfn.
2. Torrwch y sibwns a'r tsili yn fân a'u rhoi nhw yn y bowlen. Pliciwch y ciwcymbr, tynnu'r hadau a'i dorri'n fân. Ychwanegwch at y pys ynghyd â'r coriander wedi'u torri, y leim a'r olew. Cymysgwch yn dda. Blaswch a sesno gyda halen môr a phupur.
3. Rhannwch y letys yn ddarnau unigol a rhoi y gymysgedd ym mhob un. Plygwch ddarnau o'r eog i mewn a'u rhoi ar ben y pys.
4. Rhowch y letys ar ben darn o fara os ydych yn dymuno a sgeintio gyda hadau sesame.

Pea salsa and smoked salmon pintxos

A great sharing dish to serve with drinks or as a light starter for a more formal meal. Serve with or without bread and alternate with cooked prawns.

Serves 8

INGREDIENTS

- 200g of frozen peas
- 5 spring onions
- ½ red chilli
- ½ cucumber
- 2 tbsps of fresh coriander
- Juice and zest of 1 lime
- 1 tbsp of rapeseed oil
- 2 little gem lettuces
- 75g of oak smoked salmon
- French or sourdough bread, to serve
- 1 tbsp sesame seeds

METHOD

1. Cook the peas in boiling water for 2–3 minutes, strain the water and mash the peas in a bowl until fairly smooth.
2. Chop the spring onions and chilli finely and put in the bowl. Peel the cucumber, deseed and chop finely and add to the peas together with the coriander, the lime and the oil. Mix thoroughly and season with sea salt and black pepper.
3. Divide the lettuce into individual pieces and place the mixture on each one. Fold pieces of smoked salmon and place on the pea mixture.
4. Place the lettuce on a piece of bread if you wish and scatter with sesame seeds.

Tameidiau bara lawr, lemon a pherlysiau

Gweinwch gyda chig oen Cymreig wedi'i rostio neu fel bwyd bys a bawd. Defnyddiwch hefyd fel crwst ar ben ffiled o bysgod cyn ei rostio.

CYNHWYSION

- 1 winwnsyn canolig
- 2 ewin o arlleg
- 2 llond llaw o berlysiau ffres, fel mintys, persli, llysiau'r gwewyr ayb
- 1 llwy bwdin o olew llysiau
- 100g o friwsion bara
- 120g o fara lawr ffres neu mewn tun
- Croen 1 lemon

DULL

1. Cynheswch y popty i 180°C / Nwy 4.
2. Torrwch y winwnsyn yn fân a malu'r garlleg. Torrwch y perlysiau'n fân.
3. Cynheswch yr olew mewn padell ffrio a choginio'r winwns a'r garlleg dros wres cymhedrol tan eu bod yn feddal. Tynnwch oddi ar y gwres ac ychwanegu gweddill y cynhwysion.
4. Cymysgwch yn dda a'i sesno gyda phupur du ac ychydig o halen môr – dim gormod gan fod y bara lawr yn gallu bod yn hallt.
5. Defnyddiwch y gymysgedd i wneud peli bach – tua 10 i gyd – a'u rhoi ar dun pobi wedi'i iro. Coginiwch nhw yn y popty am 20 munud neu tan yn frown euraid ac yn grimp. Gallwch hefyd eu ffrio mewn ychydig o olew tan eu bod wedi brownio a chynhesu drwyddyn nhw.

Laverbread, herb and lemon bites

Makes an ideal canapé or serve with roast Welsh lamb. Alternatively use the mixture to coat any type of fish fillets before roasting.

INGREDIENTS

- 1 medium onion
- 2 cloves of garlic
- 2 hand fulls of fresh herbs, such as mint, parsley, dill etc
- 1 dsp of vegetable oil
- 100g of breadcrumbs
- 120g of fresh or tinned laverbread
- Zest of 1 lemon

METHOD

1. Preheat the oven to 180°C / Gas mark 4.
2. Finely chop the onion and crush the garlic. Chop the fresh herbs finely.
3. Heat the oil in a frying pan and cook the onion and garlic over a medium heat until soft. Remove from the heat and add the remaining ingredients.
4. Mix well and season with freshly ground pepper and a little sea salt – not too much as the laverbread can be salty.
5. Form the mixture into small balls – it should make about 10 – and place on a greased baking tray. Cook in the oven for 20 minutes or until golden brown and crisp. Alternatively, shallow fry in a little oil until browned all over and heated through.

Byrger brecwast bara lawr

Rysáit sy'n addas ar gyfer llysieuwyr a figaniaid. Mae'r byrgers yn rhewi'n dda wedi'u coginio neu yn amrwd. Gweinwch gyda thomatos rhost a madarch wedi'u ffrio neu wy wedi'i botsio.

Digon i 3–4

CYNHWYSION

- 1 cenhinen fach
- 2 lwy fwrdd o olew
- 1 llwy fwrdd yr un o hadau pwmpen, blodyn yr haul, sesame
- 40g o friwsion bara
- 40g o geirch
- 1 llond llaw yr un o bersli a chennin syfi
- 120g o fara lawr ffres neu mewn tun
- Croen 1 lemon

DULL

1. Golchwch a thorri'r genhinen yn fân. Cynheswch badell ffrio dros wres cymhedrol, ychwanegu un llwy fwrdd o'r olew a choginio'r genhinen am 5–10 munud tan ei bod yn feddal. Rhowch nhw mewn powlen.
2. Torrwch y perlysiau'n fân a'u hychwanegu at weddill y cynhwysion yn y fowlen a sesno gyda halen a phupur.
3. Cymysgwch yn dda a ffurfio 3–4 siâp byrger a'u rhoi i oeri yn yr oergell am ryw 30 munud. Mae modd eu paratoi y diwrnod cynt a'u cadw wedi'u gorchuddio yn yr oergell tan fod eu hangen.
4. Cynheswch weddill yr olew mewn padell ffrio a choginio pob byrger ar bob ochr nes iddyn nhw frownio. Gweinwch nhw'n syth.

Laverbread breakfast burger

This recipe is suitable for vegetarians and vegans. The burgers freeze well, both cooked or uncooked. Serve with lightly roasted tomatoes and sautéed mushrooms or a poached egg.

Serves 3–4

INGREDIENTS

- 1 small leek
- 2 tbsps of oil
- 1 tbsp each of pumpkin, sunflower, sesame seeds
- 40g of breadcrumbs
- 40g of rolled oats
- 1 handful each of parsley and chives
- 120g of fresh or tinned laverbread
- Zest of 1 lemon

METHOD

1. Wash and finely chop the leek. Heat a frying pan over a medium heat, add 1 tablespoon of oil and cook the leek for 5–10 minutes until soft. Tip into a bowl.
2. Chop the herbs and add to the bowl with all the other ingredients. Season with salt and pepper.
3. Mix well and form into 3 or 4 burger shapes then refrigerate for around 30 minutes. These could be prepared the day before and kept covered in the fridge until needed.
4. Heat the remaining oil in the frying pan and cook the burgers on both sides until lightly browned. Serve immediately.

Myffins bach cig moch a bara lawr

Mae'r rhain yn ddelfrydol ar gyfer bocs cinio neu bicnic. Defnyddiwch gasys papur os am eu bwyta tu fas. Fe ellir defnyddio unrhyw lysiau dros ben – torrwch nhw a'u hychwanegu at y cig moch.

CYNHWYSION

- 1 winwnsyn
- 2 lwy fwrdd o olew had rêp
- 4 darn o gig moch
- 8 wy mawr
- 125ml o crème fraîche neu hufen sengl
- 2 lwy fwrdd o fara lawr
- 125g o gaws Cymreig cryf fel Hafod, Caws Cryf Cenarth, Teifi aeddfed, ac ati

DULL

1. Cynheswch y popty i 180°C / Nwy 4.
2. Pliciwch y winwnsyn a'i dorri'n fân. Cynheswch yr olew mewn padell ffrio dros wres isel a ffrio'r cig moch am gwpl o funudau yna ychwanegu'r winwns. Codwch y gwres i fyny a choginio'r winwns am 5 munud tan eu bod yn euraid. Rhannwch y gymysgedd yn y tun myffin.
3. Mewn powlen, curwch yr wyau, wedyn ychwanegu'r crème fraîche neu'r hufen a'r bara lawr a'u sesno ag ychydig o bupur du.
4. Arllwyswch y gymysgedd wy dros y cig moch a'r winwns a rhoi'r caws wedi'i gratio ar ben y cyfan.
5. Pobwch am 25 munud tan fod y myffins wedi codi, setio ac yn euraid.

Mini bacon and laverbread muffins

These are ideal for picnics or lunch boxes. Use paper muffin cases to line the tin if eating outside. Any leftover vegetables can be used – just chop and add to the bacon.

INGREDIENTS

- 1 onion
- 2 tbsps of rapeseed oil
- 4 slices of back bacon
- 8 large eggs
- 125ml of crème fraîche or single cream
- 2 tbsps of laverbread
- 125g of strong Welsh cheese, such as Hafod, Caws Cryf Cenarth, Teifi etc

METHOD

1. Preheat the oven to 180°C / Gas mark 4.
2. Peel and finely chop the onion. Heat the oil in a pan over a low heat and fry the bacon for a few minutes before adding the onion. Turn up the heat and cook for 5 minutes until the onions are golden. Divide the mixture between the muffin tin.
3. In a bowl, beat together the eggs, then add the crème fraîche or cream and laverbread with several grinds of black pepper.
4. Pour the egg mixture over the bacon and onions and top with the grated cheese.
5. Bake for 25 minutes until the muffins are risen, set and golden.

Salad cig moch a thatws Sir Benfro gyda dresin afal

Mae'r salad hwn ar ei orau'n gynnes, ond gallwch baratoi'r holl elfennau ymlaen llaw a rhoi popeth at ei gilydd yn syth cyn ei weini.

Digon i 4 fel dechreufwyd neu i 2 fel prif gwrs.

CYNHWYSION

- 350g o datws cynnar Sir Benfro
- 4 sleisen o gig moch wedi'i fygu
- 2 afal bwyta
- 15g o fenyn
- 50g o gnau cyll
- 4 sibwnsyn
- 6 llond llaw o ddail salad
- 1 llwy fwrdd o sifys mân i addurno

DRESIN

- 2 lwy fwrdd o geuled afal sinamon Welsh Lady Preserves
- 1 llwy fwrdd o finegr seidr
- 3 llwy fwrdd o olew olewydd

DULL

1. Golchwch y tatws, eu torri'n hanner a'u berwi tan y byddan nhw fwy neu lai'n feddal.
2. Ewch ati i greu'r dresin drwy chwisgio'r holl gynhwysion mewn powlen fechan a'u sesno â halen a phupur du.
3. Draeniwch y tatws ac arllwys hanner y dresin drostyn nhw tra'u bod nhw'n gynnes, a'u rhoi o'r neilltu.
4. Ffrïwch y cig moch mewn padell ffrio am 5 munud ar bob ochr, eu tynnu o'r badell a'u torri'n ddarnau gweddol o faint.
5. Tynnwch y canol o'r afalau a'u torri'n dalpiau. Rhowch y menyn yn yr un badell a brownio'r talpiau afal yn y menyn wedi toddi.
6. Tynnwch yr afalau o'r badell a chrafu'r gweddillion oddi ar waelod y badell gyda gweddill y dresin.
7. Tostiwch y cnau cyll ac, mewn powlen weini, cymysgwch y tatws, y cig moch, yr afalau, y cnau, y sibwns wedi'u golchi a'u sleisio a'r dail salad, gan dywallt y dresin cynnes drostyn nhw ac ychwanegu'r sifys i'w haddurno.

Pembrokeshire potato and bacon salad with apple dressing

This salad is best served warm but all the components can be prepared beforehand and assembled just before serving.

Serves 4 as a starter or 2 as a main meal

INGREDIENTS

- 350g of Pembrokeshire early potatoes
- 4 slices of smoked bacon
- 2 eating apples
- 15g of butter
- 50g of hazelnuts
- 4 spring onions
- 6 handfuls of salad leaves
- 1 tbsp of chopped chives to garnish

DRESSING

- 2 tbsps of Welsh Lady Preserves apple cinnamon curd
- 1 tbsp of cider vinegar
- 3 tbsps of olive oil

METHOD

1. Wash and halve the potatoes, boiling until just tender.
2. Make the dressing by whisking all the ingredients together in a small bowl and season with salt and black pepper.
3. Drain the potatoes and pour half the dressing over them while still warm and set aside.
4. Fry the bacon in a frying pan for 5 minutes on each side, remove and cut into bite size pieces.
5. Core and cut the apples into wedges. Add the butter to the same pan and brown the apple wedges in the melted butter.
6. Remove the apples and deglaze the pan by scraping any residue with the remaining dressing.
7. Toast the nuts until golden and in a serving bowl mix together the potatoes, bacon, apples, nuts, washed and sliced spring onions and salad leaves, pouring over the warm dressing and garnishing with chives.

Tatws pob pastai pysgod

Mae tatws Rudolph yn llachar eu lliw ac yn naturiol felys gydag ansawdd hufennog sy'n berffaith ar gyfer rhostio a phobi.

Digon i 4

CYNHWYSION

- 4 taten Rudolph fawr
- 1 llwy fwrdd o olew had rêp
- 1 llond llwy de o halen môr wedi malu
- 2 ffiled o eog wedi'u mygu'n boeth
- Croen a sudd 1 lemon
- 3 sibwnsyn
- 1 llwy de o lysiau'r gwewyr neu daragon sych
- 1 llwy fwrdd fawr o crème fraîche neu iogwrt naturiol

DULL

1. Cynheswch y popty i 200°C / Nwy 6.
2. Golchwch y tatws a'u rhwbio â'r olew ac yna'r halen. Pobwch am 1¼–1½ awr tan eu bod yn feddal.
3. Torrwch y sibwns yn fân, rhannu'r eog yn naddion a'u cymysgu mewn bowlen gyda gweddill y cynhwysion. Sesnwch nhw gyda phupur du.
4. Torrwch y tatws yn eu hanner a thynnu'r canol a'u hychwanegu at y gymysgedd eog. Llenwch groen pob taten gyda'r gymysgedd a'u gweini gyda salad.

Fish pie jackets

Rudolph potatoes have a vibrant colour with a natural sweetness and a fluffy, creamy texture which is ideal for baking and roasting.

Serves 4

INGREDIENTS

- 4 large Rudolph potatoes
- 1 tbsp of rapeseed oil
- 1 heaped tsp of sea salt
- 3 spring onions
- 2 fillets of hot smoked salmon
- Zest and juice of 1 lemon
- 1 tsp of dry dill or tarragon
- 1 heaped tbsp of crème fraîche or natural yoghurt

METHOD

1. Heat the oven to 200°C / Gas mark 6.
2. Wash the potatoes, rub with oil and sprinkle with the sea salt. Bake for 1¼–1½ hours until soft.
3. Finely chop the spring onions, flake the fish and combine in a bowl with the remaining ingredients. Season with black pepper.
4. Cut the potatoes in half, remove the flesh and add to the salmon mixture. Pile the filling back into the potato shells and serve with a salad.

Cyw iâr gyda phasta lemon ac ysbigoglys

Swper un sosban sydyn lle gellir defnyddio unrhyw gig dros ben yn lle'r cyw iâr. Pan fydd garlleg gwyllt yn ei dymor, fe allwch ei ddefnyddio yn lle neu gyda'r ysbigoglys.

Digon i 4

CYNHWYSION

- 2 frest cyw iâr fawr (tua 500g)
- 2 lwy fwrdd o olew had rêp
- 3 ewin o arlleg
- 500g o fasta, fel tagliatelle
- 250g o ddail ysbigoglys, garlleg gwyllt neu ysbigoglys wedi'u rhewi
- Sudd 1 lemon
- 4 llwy fwrdd o besto
- 4 llwy fwrdd o crème fraîche

DULL

1. Torrwch y cyw iâr yn ddarnau 1cm a'u sesno gyda halen a phupur. Cynheswch yr olew mewn padell ffrio a choginio'r cyw iâr am 5–6 munud tan ei fod yn euraid ac wedi coginio drwyddo. Ychwanegwch y garlleg wedi'i falu yn ystod y funud olaf.
2. Coginiwch y pasta mewn dŵr berwedig, yna gwaredu'r dŵr gan gadw llond cwpan er mwyn teneuo'r saws, a rhoi'r pasta a'r dŵr 'nôl yn y sosban.
3. Ychwanegwch yr ysbigoglys neu arlleg gwyllt wedi'i olchi, y sudd lemon a'r pesto a chymysgu tan fod y dail wedi gwywo neu ddadrewi. Rhowch y cyw iâr a'r crème fraîche yn y sosban a'u twymo'n drylwyr cyn eu gweini.

Chicken with lemon and spinach pasta

A speedy one-pan supper where you can substitute the chicken with any other leftover meat. You can also use wild garlic leaves with or to replace the spinach while it's in season.

Serves 4

INGREDIENTS

- 2 large chicken breasts (about 500g)
- 2 tbsps of rapeseed oil
- 3 garlic cloves
- 500g of pasta, such as tagliatelle
- 250g of washed baby spinach leaves, wild garlic or frozen spinach
- Juice of 1 lemon
- 4 tbsps of pesto
- 4 tbsps of crème fraîche

METHOD

1. Cut the chicken breast into 1cm thick slices and season with salt and pepper. Heat the oil in a large pan and fry the chicken for 5–6 minutes until golden and cooked through. Add the crushed garlic during the last minute.
2. Cook the pasta in boiling water for 2–4 minutes. Drain but keep about 1 cup of the pasta water to thin the sauce and return the pasta and water to the pan.
3. Add the spinach or wild garlic, lemon juice and pesto and stir until the spinach leaves have wilted or defrosted. Stir in the cooked chicken and crème fraîche and heat through before serving.

Cyrri blodfresych a gwycbys Digon i 4-6

CYNHWYSION

- 2 winwnsyn
- 4 ewin o arlleg
- 1 llwy de o sinsir ffres
- 2 lwy fwrdd o olew had rêp
- 2 lwy de o goriander mâl
- 2 lwy de o gwmin mâl
- ½ llwy de o naddion tsili sych
- 1 blodfresych canolig/mawr (tua 800g)
- Tun 400g o domatos cyfan
- Tun 400g o wycbys
- 2 lwy de o garam masala
- 2 lwy fwrdd o goriander ffres

Cyrri blasus ar gyfer llysieuwyr a figaniaid. Yn hytrach na thaflu a gwastraffu dail maethlon y blodfresych, torrwch nhw'n ddarnau bach a'u rhoi yn y cyrri er mwyn ychwanegu mwy o ffeibr a maeth.

DULL

1. Pliciwch a thorri'r winwns, gratio'r garlleg a'r sinsir. Cynheswch yr olew mewn sosban fawr a choginio'r winwns, y garlleg a'r sinsir dros wres cymhedrol am ryw 10 munud gan eu troi'n gyson.
2. Ychwanegwch weddill y sbeisys, sesno gyda halen a phupur a'i adael i goginio am 5 munud arall.
3. Torrwch y blodfresych yn flodau maint canolig a thorri'r dail gwyrdd yn ddarnau bach 4cm.
4. Ychwanegwch y blodfresych, y tomatos a'r gwycbys wedi'u draenio a'u rinsio, a'u troi'n dda. Rhowch ddŵr oer dros ben y llysiau nes eu bod bron wedi'u gorchuddio (tua 100–200ml) a'u mudferwi am 10–15 munud, gan eu troi unwaith neu ddwywaith tan fod y blodfresych yn feddal.
5. Ychwanegwch y garam masala a hanner y coriander wedi'i dorri. Blaswch i weld a oes angen rhagor o halen a phupur, yna gweinwch y cyrri gyda gweddill y coriander ar ei ben, ynghyd â reis neu fara naan.

Cauliflower and chickpea curry Serves 4-6

INGREDIENTS

- 2 onions
- 4 garlic cloves
- 1 tsp of fresh ginger
- 2 tbsps of rapeseed oil
- 2 tsps of ground coriander
- 2 tsps of ground cumin
- ½ a tsp of dried chilli flakes
- 1 medium/large cauliflower (about 800g)
- 400g tin of plum tomatoes
- 400g tin of chickpeas
- 2 tsps of garam masala
- 2 tbsps of fresh coriander

A tasty curry suitable for vegetarians and vegans. Rather than throwing away and wasting the nutritious leaves of the cauliflower, I cut them into bite size pieces and add to the curry for more fibre and nutrients.

METHOD

1. Peel and chop the onions, grate the garlic and ginger. Heat the oil in a large saucepan and fry the onions, garlic and ginger over a medium heat and sauté for about 10 minutes, stirring often.
2. Add the other spices and season with salt and pepper and cook for a further 5 minutes.
3. Cut the cauliflower into medium florets and cut the green leaves into 4cm bite size pieces.
4. Add the cauliflower, tomatoes and the drained and rinsed chickpeas and stir well. Pour enough cold water to almost but not quite cover everything (100–200ml) and simmer for 5–10 minutes, stirring once or twice, until the cauliflower is tender.
5. Stir in the garam masala and half the chopped coriander, then check the seasoning. Serve scattered with the remaining chopped coriander and accompanied by rice or naan bread.

Ffowlyn rhost Cymreig

Dyma bryd un pot wedi'i seilio ar hen rysáit Gymreig, pan arferai pobol gael ffowls i'w berwi, a'r rheini'n fwy gwydn ac yn gofyn am gael eu coginio am fwy o amser.

Digon i 6

CYNHWYSION

- 200g o gig moch brith
- 2 goesyn seleri
- 4 moronen fawr
- 1 genhinen fawr
- 20g o fenyn
- 1 cyw iâr maes canolig ei faint
- 400ml o stoc llysiau
- 200ml o win gwyn
- 2 ddeilen lawryf
- 4 sbrigyn o deim ffres

DULL

1. Cynheswch y popty i 180°C / Nwy 4.
2. Torrwch y cig moch yn ddeis, sleisio'r seleri, torri'r moron yn ddarnau mawr a golchi a thorri'r cennin yn sleisys.
3. Mewn dysgl sy'n dal gwres, toddwch y menyn a ffrïo'r cig moch, y seleri a'r moron am 10 munud tan y byddan nhw'n dechrau meddalu, yna ychwanegwch y cennin. Cymysgwch bopeth yn dda.
4. Tynnwch y ddysgl oddi ar y gwres a rhoi'r cyw iâr ar ben y llysiau. Tywalltwch y stoc, y gwin a'r perlysiau i mewn, ac ychwanegu halen a phupur i roi blas.
5. Rhowch gaead ar y top a rhostio'r cyfan am 1½ awr. Tynnwch y caead am yr hanner awr olaf er mwyn brownio'r cyw iâr.
6. Tynnwch y cyw iâr o'r ddysgl a'i roi ar blât gweini mawr. Cerfiwch yr aderyn a'i weini gyda'r saws cennin a chig moch a thatws.

Welsh roast chicken

A one-pot dish based on an old Welsh recipe when they used boiling fowl which were tougher and required longer cooking.

Serves 6

INGREDIENTS

- 200g of streaky bacon
- 2 sticks of celery
- 4 large carrots
- 1 large leek
- 20g of butter
- 1 medium sized free-range chicken
- 400ml of vegetable stock
- 200ml of white wine
- 2 bay leaves
- 4 sprigs of fresh thyme

METHOD

1. Heat the oven to 180°C / Gas Mark 4.
2. Dice the bacon, slice the celery, cut the carrots into large chunks and slice and wash the leek.
3. In an ovenproof dish melt the butter and fry the bacon, celery and carrots for 10 minutes until they begin to soften, then add the leek. Stir well.
4. Remove from the heat and place the chicken on top of the vegetables. Pour over the stock, wine, herbs and season with salt and pepper.
5. Put a lid on top and roast for 1½ hours. Remove the lid for the last half hour of cooking to brown the chicken.
6. Remove from the dish and place on a serving platter, carve the chicken and serve with the leek and bacon sauce and potatoes.

Eog sesame a soi gyda llysiau'r gwanwyn Digon i 2

Dyma rysáit am swper sydyn lle gellir defnyddio unrhyw gyfuniad o lysiau gwyrdd ynghyd â gwahanol bysgod fel mecryll, penfras, brithyll ayb.

CYNHWYSION

- 2 lwy fwrdd o saws soi
- 1 llwy fwrdd o fêl clir
- 2 lwy fwrdd o sudd leim neu lemon
- 2 x 125g ffiled eog, gyda'r croen
- 1 llwy fwrdd o hadau sesame
- 1 llwy fwrdd o olew had rêp
- ½ winwnsyn
- 1 ewin o arlleg
- Darn 4cm o sinsir ffres
- 120g o lysiau gwyrdd tymhorol e.e. bresych, bresych crych, ysbigoglys
- 1 llwy fwrdd o ddail coriander ffres

DULL

1. Gwnewch y marinâd drwy gymysgu'r saws soi, y mêl a'r sudd leim neu lemon. Rhowch y darnau eog mewn dysgl addas i'r popty ac arllwys y marinâd drostyn nhw, gan droi'r pysgod nes eu bod wedi'u gorchuddio'n dda gan yr hylif.
2. Gadewch i farinadu am o leiaf 20 munud cyn ysgeintio wyneb yr eog gyda'r hadau sesame. Yn y cyfamser, cynheswch y popty i 180°C / Nwy 4 a choginio'r eog am 10 munud.
3. Ar gyfer y llysiau, sleisiwch y winwns, malu'r garlleg a gratio'r sinsir. Cynheswch yr olew had rêp mewn wok mawr dros wres uchel yna ychwanegu'r winwns, y garlleg a'r sinsir a'u coginio am funud. Ychwanegwch y bresych a'r bresych crych wedi'u torri a dal ati i droi'r gymysgedd am 2 funud. Yna ychwanegwch yr ysbigoglys, gan adael iddyn nhw wywo cyn arllwys unrhyw farinad sydd dros ben.
4. Gweinwch yr eog gyda'r llysiau gwyrdd gyda coriander ffres dros ben y cyfan.

Sesame and soy salmon with spring greens Serves 2

A flexible and speedy supper dish using any combination of green vegetables and other fish such as mackerel, cod, trout etc.

INGREDIENTS

- 2 tbsps of soy sauce
- 1 tbsp of honey
- 2 tbsps of lime or lemon juice
- 2 x 125g salmon fillets, skin on
- 1 tbsp of sesame seeds
- 1 tbsp of rapeseed oil
- ½ a sliced onion
- 1 garlic clove
- 4cm piece of fresh ginger
- 120g of seasonal greens, such as cabbage, kale, spinach
- 1 tbsp of coriander leaves

METHOD

1. Mix together the soy sayce, honey and lime or lemon juice for the marinade. Put the salmon in an ovenproof dish and pour over the marinade, turning the fish so that it is completely covered.
2. Leave to marinade for at least 20 minutes then sprinkle the surface of the fish with sesame seeds. In the meantime, heat the oven to 180°C / Gas mark 4 and cook for 10 minutes.
3. For the vegetables, slice the onion, crush the garlic and grate the ginger. Heat the rapeseed oil in a wok over a high heat and cook the onion, garlic and ginger for a minute. Add the cabbage and kale and stir for a further 2 minutes. Finally add the spinach leaves and leave to wilt before pouring over any left over marinade.
4. Serve the salmon with the green vegetables and top with fresh coriander.

Cacen siocled Merlyn

Cacen i dynnu dŵr o'r dannedd ac i adael eich gwesteion yn glafoerio am fwy!

CYNHWYSION

- 100g o siocled tywyll da
- 150g o fenyn dihalen
- 180g o siwgr muscovado ysgafn
- 2 lwy fwrdd o bowdr coco
- 150ml o wirod hufen Merlyn
- 3 wy mawr
- 175g o flawd plaen
- 2 lwy de o bowdr pobi

Ganache siocled

- 200g o siocled tywyll
- 100g o fenyn dihalen
- 1 llwy fwrdd o goffi cryf iawn

DULL

1. Cynheswch y popty i 170°C / Nwy 3. Irwch a leinio tun cacen 20/21cm.
2. Toddwch y siocled, y menyn, y siwgr, y powdr coco a'r gwirod Merlyn gyda'i gilydd dros wres isel neu yn y meicrodon. Trowch bopeth i greu cymysgedd lyfn a'i gadael i oeri.
3. Curwch yr wyau a'u hychwanegu at y gymysgedd ac yna hidlo'r blawd a'r powdr pobi i'r gymysgedd. Plygwch y cyfan yn ysgafn er mwyn cyfuno popeth ac arllwys y cytew i'r tun parod.
4. Pobwch am tua 40 munud, tan na fydd yr ochrau'n crynu wrth ysgwyd y tun ond y canol yn dal i ymddangos yn eithaf meddal ac wedi toddi.
5. Tynnwch y gacen o'r popty a gadael iddi oeri am ryw 5 munud, yna trowch y gacen ben i waered ar rwyll fetel.
6. Ar gyfer y *ganache*, rhowch y siocled, y menyn a'r coffi mewn powlen a thoddi'r gymysgedd yn raddol dros ddŵr poeth neu yn y meicrodon. Cymysgwch y cyfan yn ysgafn tan y bydd y *ganache* yn sgleinio.
7. Gadewch iddo oeri a thwchu cyn rhoi'r gymysgedd sgleiniog dros y gacen a gadael iddi galedu.

Merlyn chocolate cake

A moreish cake which guests will return to for second and third helpings.

INGREDIENTS

- 100g of good dark chocolate
- 150g of salted butter
- 180g of light muscovado sugar
- 2 tbsps of cocoa powder
- 150ml of Merlyn cream liqueur
- 3 large eggs
- 175g of plain flour
- 2 tsps of baking powder

Chocolate ganache

- 200g of dark chocolate
- 100g of unsalted butter
- 1 tbsp of very strong coffee

METHOD

1. Preheat the oven to 170°C / Gas mark 3. Grease and line a 20/21cm cake tin.
2. Melt the chocolate, butter, sugar, cocoa powder and Merlyn liqueur together over a gentle heat or in the microwave. Stir until smooth and leave to cool.
3. Beat the eggs and add to the mixture and then sift in the flour and baking powder. Fold to combine and pour the batter into the prepared tin.
4. Bake for around 40 minutes, until the sides no longer wobble when you shake the tin, but the middle still appears slightly soft and molten.
5. Take the cake out of the oven and let it cool for 5 minutes or so, then turn it out onto a wire rack.
6. For the *ganache* put the chocolate, butter and coffee into a bowl and melt gently over a bain-marie or in the microwave. Stir lightly until the glaze is glossy.
7. Let it cool and thicken before glazing the cake and leaving to set.

Pwdin lemon

Weithiau gelwir y pwdin yma yn bwdin syrpréis achos wrth bobi mae'n rhannu yn sbwng ysgafn ar y top gyda haenen debyg i geuled lemon oddi tano.

Digon i 4-6

CYNHWYSION

- 3 wy
- Croen a sudd 3 lemon
- 75g o fenyn dihalen meddal
- 175g o siwgr mân
- 75g o flawd codi
- 200ml o laeth

DULL

1. Cynheswch y popty i 180°C / Nwy 4 ac iro dysgl bobi ddofn 1.75 litr.
2. Rhannwch yr wyau a rhowch y gwynnwy mewn powlen ar wahân. Gratiwch groen y lemon a gwasgu'r sudd.
3. Cymysgwch y menyn a'r siwgr mewn powlen fawr tan eu bod yn olau ac ychwanegu'r melynwy ychydig ar y tro.
4. Hidlwch y blawd i'r gymysgedd a phlygu'n ysgafn bob yn ail gyda'r sudd lemon, croen y lemon a'r llaeth.
5. Chwisgiwch y gwynnwy tan ei fod yn creu cynffon o'i godi â llwy, a'I blygu'n ofalus i'r gymysgedd lemon.
6. Arllwyswch y cyfan i'r ddysgl a phobi am ryw 45–50 munud tan fod y pwdin yn frown euraid.
7. Mae'r pwdin ar ei orau wedi ei weini yn gynnes gyda hufen sengl ond mae hefyd yn flasus yn oer.

Lemon pudding

Sometimes called a surprise pudding because as it cooks it separates into a light sponge on top with a zesty lemon curd beneath.

Serves 4-6

INGREDIENTS

- 3 eggs
- Zest and juice of 3 lemons
- 75g of softened unsalted butter
- 175g of caster sugar
- 75g of self-raising flour
- 200ml of milk

METHOD

1. Pre-heat the oven to 180°C / Gas mark 4 and grease a deep 1.75 litre baking dish.
2. Separate the eggs and put the egg whites in a separate bowl. Zest and juice the lemons.
3. Mix the butter and sugar together in a large mixing bowl until pale and beat in the egg yolks a little at a time.
4. Sift the flour and lightly fold into the mixture alternating with the lemon juice, zest and milk.
5. Whisk the egg whites to a soft peak and lightly fold these into the lemon mixture.
6. Pour the mixture into the prepared dish and bake in the oven for between 45–50 minutes until the surface is golden brown.
7. The pudding is best eaten hot with single cream but is also good cold.

Cacen fêl, teim ac almon

Cacen lemon syml sy'n blasu'n well ar ôl cwpl o ddiwrnodau gan fod yr almonau'n cadw'r gacen yn llaith. Mae'n addas i ddeiet heb gynnyrch llaeth a deiet diglwten.

CYNHWYSION

- Croen a sudd 1 lemon
- 170g mêl clir ac ychydig i ddiferu
- 80g o siwgr mân
- 4 wy
- 60ml o olew had rêp
- 1 llwy fwrdd o ddail teim lemon ac ambell sbrigyn i addurno
- 350g o almonau mâl
- 1 llwy de o bowdwr codi diglwten

DULL

1. Cynheswch y popty i 160°C / Nwy 3 a leinio tun crwn 22cm sydd â sbring â phapur gwrthsaim.
2. Tynnwch y croen a gwasgu sudd y lemon. Rhowch y mêl, y siwgr a'r wyau mewn powlen fawr a chwisgio'n dda. Ychwanegwch yr olew, y teim, y croen lemon a 60ml o'r sudd lemon a chwisgio i'w cymysgu. Plygwch yr almonau mâl a'r powdwr pobi wedi'i hidlo i mewn yn ysgafn tan bod y cyfan yn llyfn.
3. Arllwyswch y gymysgedd i'r tun a'i phobi am 35–40 munud tan ei bod yn euraid a sgiwer yn dod o'r gacen yn lân. Gadwech iddi oeri yn y tun am 10 munud.
4. Tynnwch y gacen o'r tun a'i rhoi i oeri ar rwyll fetel. Diferwch ychydig o fêl ar ei phen a'i haddurno â darnau o deim. Gweinwch hi gydag iogwrt naturiol Llaeth y Llan.

Honey, thyme and almond cake

A simple lemon cake which tastes better after storing for a few days as the ground almonds will keep the cake moist. Suitable for gluten-free and dairy-free diets.

INGREDIENTS

- Zest and juice of 1 lemon
- 170g of honey and a little for drizzling
- 80g of caster sugar
- 4 eggs
- 60ml of rapeseed oil
- 1 tbsp of lemon thyme leaves and a few sprigs to garnish
- 350g of ground almonds
- 1 tsp of gluten-free baking powder

METHOD

1. Preheat oven to 160°C / Gas mark 3 and line a round 22cm springform tin with non-stick baking paper.
2. Zest and juice the lemon. Place the honey, sugar and eggs in a large bowl and whisk to combine. Add the oil, lemon thyme, lemon rind and 60ml of lemon juice and whisk to combine. Fold in the ground almonds and sieved baking powder and mix lightly until smooth.
3. Pour the mixture into the tin and bake for 35–40 minutes or until golden and cooked when tested with a skewer which is clean when removed. Allow to cool in the tin for 10 minutes.
4. Remove the cake from the tin and place on a cake stand or plate. Drizzle with extra honey and scatter with extra thyme sprigs. Serve with Llaeth y Llan natural yoghurt.

Ffŵl riwbob gyda dil mêl

Mae'r gymysgedd diliau mêl yn gwneud mwy nag sydd ei angen ar gyfer y rysáit hon ond mae'n cadw mewn tun aerglos am ryw fis. Gallwch doddi siocled dros ei ben fel 'melysion' rywbryd eto. Os ydych am swigod mawr peidiwch â gor droi'r soda pobi i'r caramel.

Digon i 4

CYNHWYSION

- 450g o riwbob
- 4 llwy fwrdd o siwgr muscovado tywyll
- 100g o gaws gafr meddal neu gaws hufen
- 200g o iogwrt naturiol Groegaidd
- Croen 1 oren
- 25g o siwgr eisin

Dil mêl
- 200g o siwgr
- 100g o surop euraidd
- 2 llwy de o soda bicarbonad

DULL

1. Cynheswch y popty i 200°C / Nwy 6. Leiniwch dun sgwâr 20cm gyda phapur gwrthsaem.
2. Torrwch y riwbob yn ddarnau 6cm o hyd a'u rhoi yn un haenen mewn tun rhostio gyda'r siwgr muscovado. Pobwch am ryw 15 munud tan yn feddal ond yn dal i gadw eu siâp. Gadewch iddyn nhw oeri.
3. I wneud y ffŵl, rhowch y caws mewn powlen a'i guro gyda llwy bren tan yn feddal. Wedyn ychwanegwch yr iogwrt, croen yr oren a'r siwgr eisin a'u cymysgu'n dda.
4. Ar gyfer y dil mêl, rhowch y siwgr a'r surop mewn sosban dros wres isel a'u troi tan bod y siwgr wedi toddi. Yna codwch y gwres a gadael i'r gymysgedd fudferwi tan ei bod yn lliw caramel euraidd.
5. Diffoddwch y gwres a chwyrlïo'r soda pobi i'r gymysgedd. Fe fydd yn ffrwydro yn gyflym ond gnewch yn siŵr bod y soda wedi'i gymysgu'n dda cyn ei arllwys i'r tun. Gadewch iddo oeri. Unwaith iddo galedu bydd yn barod i'w dorri'n ddarnau.
6. Rhannwch y gymsygedd i bedair dysgl bwdin gyda'r riwbob a pheth o'r sudd dros eu pennau a darnau o'r dil mêl i orffen. Gweinwch nhw'n syth.

Rhubarb fool with honeycomb

The honeycombe mixture will make more than you need for this recipe but will keep for a month in an airtight tin. For a treat another time cover in melted chocolate! For larger bubbles try not to overmix the bicarbonate of soda when adding to the caramel.

Serves 4

INGREDIENTS

- 450g of rhubarb
- 4 tbsps of dark muscovado sugar
- 100g of soft goat's cheese or cream cheese
- 200g of natural Greek yoghurt
- Zest of 1 orange
- 25g of icing sugar

Honeycomb
- 200g of caster sugar
- 100g of golden syrup
- 2 tsps of bicarbonate of soda

METHOD

1. Pre-heat the oven to 200°C / Gas mark 6. Line a 20cm square baking tin with parchment paper.
2. Trim the rhubarb and cut into 6cm length pieces and place in one layer in a roasting tin then cover with the muscovado sugar. Roast for around 15 minutes until the rhubarb is soft but still keeping its shape. Leave to cool.
3. For the fool, put the cheese into a bowl and beat until soft then mix in the yoghurt, orange zest and icing sugar and mix well.
4. For the honeycomb, put the caster sugar and golden syrup in a saucepan over a gentle heat and stir until the sugar has dissolved then turn up the heat to medium and leave to simmer until a golden caramel colour.
5. Turn off the heat and quickly whisk in the bicarbonate of soda until it has disappeared and the mixture is foaming. Tip immediately into the baking tin and leave to cool. Once hard it is ready to be snapped into chunks.
6. Divide the mixture into 4 serving bowl then top with the rhubarb and juices and finish with the honeycomb. Serve immediately.

HAF | SUMMER

Cacennau cranc Bae Ceredigion gyda saws cocos a bara lawr

Dyma gyfuno cranc ffres, cocos a bara lawr i gynnig llond plât o flas clasurol y môr a hwnnw'n addas fel dechreufwyd neu ginio ysgafn.

Digon i 4

CYNHWYSION

- 250g o gig cranc Bae Ceredigion
- 3 sibwnsyn
- 6 llwy fwrdd o friwsion bara
- 2 lwy fwrdd o bersli ffres
- Croen 1 lemon
- 1 llwy de o bupur caián
- 1 wy
- Ychydig o flawd plaen
- 1 llwy fwrdd o olew had rêp

Saws
- 2 sialot
- 1 llwy fwrdd o olew
- 15g o fenyn dihalen
- 150ml o seidr neu win gwyn
- 2 lwy fwrdd o hufen sur
- 75g o gocos wedi'u coginio
- 1 llwy fwrdd fawr o fara lawr neu ddelysg y môr Pembrokeshire Beach Food

DULL

1. Cyfunwch y cig cranc, y sibwns wedi'u sleisio'n denau, y briwsion bara, y persli wedi'u torri'n fân, croen y lemon a'r caián mewn powlen gyda phinsiad o halen y môr.
2. Ychwanegwch yr wy wedi'i guro a chreu cacennau 6cm o faint, cyn eu rhoi yn yr oergell am o leiaf 30 munud.
3. Rhowch flawd yn ysgafn drostynt a'u ffrio mewn mymryn o olew dros wres cymhedrol am 5 munud ar bob ochr tan eu bod yn euraid. Gweinwch nhw gyda'r saws cocos a bara lawr.

SAWS

1. Torrwch y sialots yn fân a chynheswch yr olew a'r menyn, gan ffrio'r sialots dros wres canolog tan y byddan nhw'n feddal.
2. Ychwanegwch y seidr neu'r gwin a lleihau'r cyfan i hanner ei faint cyn cymysgu'r hufen sur i mewn iddo.
3. Yn olaf, ychwanegwch y cocos a'r bara lawr a chodi'r gwres tan y bydd y cyfan yn mudferwi.
4. Blaswch ac ychwanegu pupur a halen cyn gweini.

Cardigan Bay crab cakes with cockle and laverbread sauce

Fresh crab, cockles and laverbread come together for a burst of classic seafood flavours which could be served as a starter or as a light lunch.

Serves 4

INGREDIENTS

- 250g of mixed Cardigan Bay crabmeat
- 3 spring onions
- 6 tbsps of breadcrumbs
- 2 tbsps of fresh parsley
- Zest of 1 lemon
- 1 tsp of cayenne pepper
- 1 egg
- Plain flour for dusting
- 1 tbsp of rapeseed oil

Sauce
- 2 shallots
- 1 tbsp of oil
- 15g of unsalted butter
- 150ml of cider or white wine
- 2 tbsps of sour cream
- 75g of cooked cockles
- 1 heaped tbsp of laverbread or Pembrokeshire Beach Food Dulse

METHOD

1. Combine the crabmeat, finely sliced spring onions, breadcrumbs, chopped parsley, lemon zest and cayenne in a bowl with a little sea salt.
2. Add the beaten egg and shape into 6cm cakes and refrigerate for at least 30 minutes.
3. Dust with flour and shallow fry in the oil over a medium heat for 5 minutes each side until golden. Serve with the cockle and laver sauce.

SAUCE

1. Finely chop the shallots. Heat the oil and butter and fry the shallots over a medium heat until softened.
2. Add the cider or wine and reduce by half before whisking in the sour cream.
3. Finally, add the cockles and laverbread and bring to a simmer.
4. Taste and season before serving.

Tartenni bwyd môr Sir Benfro

Fe allwch chi ddefnyddio unrhyw gyfuniad o bysgod neu fwyd môr tymhorol i wneud y tartenni syml ond blasus hyn. Maen nhw'n berffaith fel pryd bach i ddechrau, neu gweinwch fwy nag un gyda salad am ginio ysgafn.

Digon i greu 12

CYNHWYSION

- 25g o fenyn
- 4 sibwnsyn
- 200g o gregyn bylchog bach
- 200g o gig cranc
- 80g o gig cocos
- Croen a sudd 1 lemon
- 2 lwy fwrdd o lysiau'r gwewyr ffres
- 4 llwy fwrdd o crème fraîche
- 4–5 haen o does filo

DULL

1. Cynheswch y popty i 180°C / Nwy 4. Toddwch ychydig o fenyn a'i ddefnyddio i iro tun sy'n dal 12 tarten.
2. Torrwch y sibwns yn fân a'u rhoi mewn powlen gyda'r cregyn bylchog wedi'u torri'n fras, cig y cranc a'r cocos, croen a sudd y lemon a llysiau'r gwewyr wedi'u torri. Arllwyswch y crème fraîche i mewn a chymysgu popeth yn ysgafn. Sesnwch y gymysgedd gyda halen a phupur.
3. Torrwch yr haenau filo'n sgwariau mymryn mwy na maint y tyllau yn y tun tartenni.

Rhowch un sgwaryn yn y tun tartenni a'i frwsio â'r menyn wedi toddi, cyn ailadrodd y broses gyda dau sgwaryn arall o'r toes, ar onglau gwahanol, i greu siâp seren.

4. Defnyddiwch lwy i roi'r gymysgedd bwyd môr ym mhob twll, cyn pobi'r cyfan yn y popty am 15–20 munud tan y bydd y toes yn grimp ac yn euraid a'r llenwad wedi caledu. Gweinwch ar unwaith.

Pembrokeshire seafood tarts

Any combination of local seasonal seafood or fish can be used to make these simple and tasty tarts. Ideal as an appetiser or serve a few with a salad for a light lunch.

Makes 12

INGREDIENTS

- 25g of butter
- 4 spring onions
- 200g of small scallops
- 200g of crab meat
- 80g of cockle meat
- Zest and juice of 1 lemon
- 2 tbsps of fresh dill
- 4 tbsps of crème fraîche
- 4–5 sheets of filo pastry

METHOD

1. Heat the oven to 180°C / Gas mark 4. Melt a little butter and grease a 12 hole tart tin.
2. Finely chop the spring onions and put in a bowl with the scallops roughly chopped, the crab and cockle meat, zest and juice of the lemon and chopped dill. Pour over the crème fraîche and mix lightly. Season with salt and pepper.
3. Cut the filo sheets into squares slightly larger

than the holes in the tart tin. Place one square in the tart tin, brush with melted butter and repeat with two more squares of filo, placing at different angles to make a star shape.

4. Spoon the seafood filling into each hole and bake in the preheated oven for 15–20 minutes, until the filo is crisp and golden and the filling is set. Serve immediately.

Cregyn gleision, cig moch a chennin

Mae'r cregyn yn coginio'n gyflym ac felly mae hwn yn ddechreufwyd hwylus iawn.

Digon i 4

CYNHWYSION

- 1½ kg o gregyn gleision lleol
- 1 genhinen
- 2 ewin o arlleg
- 1 llwy fwrdd o olew
- 90g o gig moch brith
- 2 sbrigyn o deim ffres
- 300ml o win gwyn neu seidr
- 2 lwy fwrdd o bersli ffres

DULL

1. Golchwch y cregyn gleision yn dda a gwaredu unrhyw rai sydd wedi torri. Sgrwbiwch yn dda i waredu unrhyw dywod neu fwd. Os oes rhai o'r cregyn wedi agor rhowch drawiad ysgafn iddyn nhw ac os nad ydyn nhw'n cau – gwaredwch.
2. Golchwch a thorri'r cennin a sleiswch y garlleg. Cynheswch yr olew mewn sosban fawr a choginio'r cennin a'r garlleg dros wres cymhedrol am gwpl o funudau tan fod y cennin wedi meddalu ac yn dryloyw ond heb frownio.
3. Ychwanegwch y cig moch wedi'i dorri a'i goginio am ryw 5 munud tan iddo ddechrau brownio cyn arllwys y cregyn, y teim a'r gwin neu seidr drosto. Rhowch gaead ar ben y sosban a gadael i'r cyfan stemio am 4 munud, neu tan fod y cregyn wedi agor i gyd.
4. Gweinwch mewn powlenni a sgeintio'r persli wedi'i dorri'n fras dros bob un. Arllwyswch y suddion coginio ac ychydig o bupur du dros y cyfan. Gweinwch gyda bara cyflawn neu fara garlleg.

Mussels, bacon and leeks

This recipe makes for a speedy starter as the mussels cook in no time at all.

Serves 4

INGREDIENTS

- 1½ kg of mussels
- 1 leek
- 2 garlic cloves
- 1 tbsp of oil
- 90g of streaky bacon
- 2 sprigs of fresh thyme
- 300ml of white wine or cider
- 2 tbsps of fresh parsley

METHOD

1. Thoroughly rinse the mussels discarding any that are broken. Scrub well to remove any sand, mud or grit. If the shells are open, give them a light tap; if they do not close, discard.
2. Wash and slice the leek and slice the garlic. Heat the oil in a large pan and sauté the leek and garlic over a medium heat for a few minutes until the leeks are soft and transluscent but not coloured.
3. Add the diced bacon and cook for 5 minutes until beginning to brown, then tip in the mussels, thyme and finally the white wine or cider. Steam with the lid on for 4 minutes or until the shells have fully opened
4. Spoon the mussels into serving bowls and sprinkle the roughly chopped parsley on top. Pour over the cooking juices and finish with black pepper. Serve with wholemeal or garlic bread.

Tarten caws Caerffili, winwns a phupur Digon i 6

Gweinwch y darten flasus hon gyda salad gwyrdd ffres i wneud cinio ysgafn, neu ewch ati i greu tartenni unigol fel dechreufwyd.
Os ydy amser yn brin defnyddiwch grwst wedi'i rolio yn barod a phot o winwns wedi'u caramaleiddio yn lle'r winwns ffres.

CYNHWYSION

- 1 llwy fwrdd o olew olewydd
- 15g o fenyn
- 2 winwnsyn coch mawr
- 2 lwy fwrdd o siwgr muscovado ysgafn
- 3 llwy fwrdd o finegr balsamig
- Ychydig o flawd ar gyfer rolio
- 450g o grwst pwff parod
- 125g o gaws Caerffili
- ½ pupur coch a ½ pupur melyn
- 25g o olifau du (dewisol)
- 1 llwy fwrdd o olew olewydd
- Ychydig o ddail basil i'w weini

DULL

1. Cynheswch y popty i 200°C / Nwy 6.
2. Cynheswch yr olew a'r menyn mewn padell ac ychwanegu'r winwns wedi'u sleisio'n denau. Ychwanegwch halen a phupur i roi blas a ffrio am tua 10 munud, tan y bydd y winwns wedi'u caramaleiddio. Ychwanegwch y siwgr a'r finegr balsamig a'u coginio am 10 munud arall, tan y bydd y sudd wedi lleihau o ran maint ac o ansawdd surop. Gadewch i'r cyfan oeri.
3. Sgeintiwch ychydig o flawd ar y bwrdd a rolio'r crwst i fynd ar hambwrdd pobi 30 x 22cm.
4. Rhowch y gymysgedd winwns ar ben y crwst, ynghyd â'r caws wedi'i friwsioni, y pupur wedi'u sleisio, a'r olifau heb y cerrig ac wedi'u torri'n ddarnau. Diferwch yr olew olewydd dros y cyfan.
5. Pobwch am 25–30 munud tan y bydd y crwst wedi codi ac yn euraid a'r gwaelod yn grimp. Gwasgarwch y dail basil wedi rhwygo dros y darten a'i thorri'n chwe rhan.

Caerphilly cheese, onion and pepper tart Serves 6

Serve this moreish tart with a crisp green salad for a light lunch or make individual ones as a starter. Use ready rolled pastry and a jar of caramelised onions instead of the onion if you're short of time.

INGREDIENTS

- 1 tbsp of olive oil
- 15g of butter
- 2 large red onions
- 2 tbsps of light muscovado sugar
- 3 tbsps of balsamic vinegar
- Flour for dusting
- 450g of ready-made puff pastry
- 125g of Caerphilly cheese
- ½ red and ½ yellow pepper
- 25g of black olives (optional)
- 1 tbsp of olive oil
- Basil leaves, to garnish

METHOD

1. Preheat the oven to 200°C / Gas mark 6.
2. Heat the butter and oil in a pan and add the finely sliced onions. Season with salt and pepper and fry for about 10 minutes, until caramelised. Add the sugar and balsamic vinegar and cook for a further 10 minutes, until the juices are reduced and syrupy. Leave to cool.
3. Roll out the pastry on a floured surface and use to line a 30 x 22cm baking tray.
4. Cover with the onion mixture and scatter over the crumbled cheese, sliced peppers and pitted and chopped olives. Drizzle over the olive oil.
5. Bake for 25–30 minutes until the pastry is risen and golden and the base is crisp. Scatter over the shredded basil leaves and cut into six portions.

Salad brithyll wedi'i fygu, ffenigl ac afal

Gweinwch hwn fel dechreufwyd ysgafn neu ginio, gyda bara gwenith cyflawn.

Digon i 4

CYNHWYSION

- 1 bylb mawr o ffenigl
- Croen a sudd 1 lemon
- 1 afal Granny Smith
- 150g o radis
- 1 bwnsiad mawr o ferw dŵr neu ferwr
- 250g o ffiledi brithyll seithliw wedi'i fygu

Dresin

- 3 llwy fwrdd o hufen sur
- 2 lwy fwrdd o saws marchruddygl
- 2 lwy fwrdd o olew had rêp

DULL

1. Hanerwch y bylb ffenigl, tynnu'r canol ac yna sleisio'r llysieuyn yn denau cyn ei gymysgu â hanner y sudd a holl groen y lemon, gan ofalu bod pob darn wedi'i orchuddio.
2. Chwarterwch, tynnu'r canol a sleisio'r afal yn denau, cyn ei ychwanegu at y ffenigl. Cymysgwch bopeth gyda'i gilydd cyn ei roi o'r neilltu. Sleisiwch y radis yn denau a'u hychwanegu at y ffenigl, ynghyd â'r berw dŵr â'r coesau trwchus wedi'u torri i ffwrdd, a chymysgu'r cyfan.
3. I'r dresin, chwisgiwch weddill y sudd lemon gyda'r hufen sur, y saws marchruddygl a'r olew, gan ychwanegu halen a phupur i roi blas.
4. Rhowch fymryn o'r dresin ar 4 plât cyn rhoi'r salad ar ei ben. Torrwch y brithyll yn ddarnau dros y salad a diferu gweddill y dresin ar y top.

Smoked trout, fennel and apple salad

Serve as a light starter or lunch with some wholemeal bread

Serves 4

INGREDIENTS

- 1 large bulb of fennel
- Zest and juice of 1 lemon
- 1 Granny Smith apple
- 150g of radish
- 1 large bunch of watercress or rocket
- 250g of smoked rainbow trout fillets

Dressing

- 3 tbsps of sour cream
- 2 tbsps of horseradish sauce
- 2 tbsps of rapeseed oil

METHOD

1. Halve the fennel bulb, remove the core then slice thinly and mix with half the lemon juice and all the zest, and toss to coat completely.
2. Quarter, core and thinly slice the apple and add to the fennel. Toss everything together then set aside. Slice the radishes and add to the fennel along with the watercress, thick stems removed, and toss to combine.
3. For the dressing, whisk together the remaining lemon juice with the sour cream, horseradish and oil and season with salt and pepper.
4. Spread a little dressing onto 4 serving plates and pile the salad on top. Flake the trout over the salad and drizzle with the remaining dressing.

Torth bicnic

Fe ellir defnyddio unrhyw gyfuniad o lysiau, cig, caws, tiwna neu eog ar gyfer y dorth bicnic hon, ac i arbed amser defnyddiwch jar o bupurau coch wedi'u rhostio'n barod.

CYNHWYSION

- 1 torth o fara e.e. ciabatta
- 4 llwy fwrdd o besto
- 3 pupur coch
- ½ winwnsyn coch
- 1 gorbwmpen
- 2 lond llaw o ddail ysbigoglys bach
- 12 tomato heulgoch
- 8 darn o gaws Perl Wen neu 4 sleisen o ham
- 6 deilen basil

DULL

1. Torrwch y bara ar ei hyd a thynnu peth o'r toes. Taenwch y pesto bob ochr i'r bara.
2. Cynheswch y popty i 220°C / Nwy 7 a rhoi y pupurau ar hambwrdd pobi i rostio am 35 munud tan fod y croen bron yn ddu. Rhowch nhw o'r neilltu i oeri, wedyn tynnwch y croen, gwaredu'r hadau a'u torri'n sleisys.
3. Torrwch y winwnsyn yn haenau tenau. Torrwch y gorbwpen yn denau ar ei hyd a grilio'r ddwy ochr tan eu bod yn frown ac yn feddal.
4. Rhowch haenen o'r ysbigoglys ar un darn o fara, yna haenau o weddill y cynhwysion gan orffen gyda haenen arall o'r ysbigoglys. Rhowch y caead bara ar ben y cyfan.
5. Lapiwch y dorth yn dynn fel parsel gyda phapur gwrthsaim a'i chlymu yn ei lle gyda chortyn, gan ddefnyddio'r cortyn i rannu'r dorth yn bump darn cyfartal. Rhowch hi yn yr oergell, gyda bwrdd torri ar ei phen, a thuniau trwm neu bwysau ar ben hwnnw. Gadewch y dorth dros nos.
6. I'w weini, torrwch y bara wedi ei lapio rhwng pob cortyn a rhoi un darn i bob person ei ddadlapio drosto'i hun.

Picnic loaf

Use any combination of vegetables, meat, cheese, tuna or salmon for this mega picnic sandwich and to save time use a jar of ready roasted peppers.

INGREDIENTS

- 1 ciabatta loaf
- 4 tbsps of pesto
- 3 red peppers
- ½ red onion
- 1 courgette
- 2 handfuls of baby spinach leaves
- 12 sundried tomatoes
- 8 slices of Perl Wen or 4 slices of ham
- 6 basil leaves

METHOD

1. Cut the bread in half horizontally and pull out some of the bread inside to hollow it out a bit. Spread both cut sides with the pesto.
2. Heat the oven to 220°C / Gas mark 7 and roast the peppers on a baking tray for 35 minutes until the skin is nearly black. Leave to cool then peel the skin, remove the seeds and slice.
3. Thinly slice the onion. Thinly slice the courgette lengthwise and grill on both sides until golden.
4. On the bottom half of the ciabatta, place a layer of half the spinach leaves and pile up layers of the other ingredients finishing with a layer of spinach. Top with the other half of the loaf.
5. Wrap the loaf tightly like a parcel in greaseproof paper and tie with string in five evenly spaced places. Put in the fridge, with a chopping board on top, weighed down with a couple of heavy tins or weights. Leave overnight.
6. To serve, cut the wrapped loaf in between the string ties. Hand the sandwich, still wrapped and tied, for each to unwrap.

Cig oen Cymreig a chwscws mewn padell Digon i 2

CYNHWYSION

- 2 stêc cig oen Cymreig
- 2 lwy de o bast harissa
- 70g o ffrwythau sych a chnau
- 85g o gwscws sych
- Tun 200g o wycbys
- 200ml o stoc cig oen neu lysiau
- 15g o ddail mintys ffres
- Sudd ½ lemon

Saws

- ½ ciwcymber
- 150g o iogwrt naturiol Groegaidd
- 1 ewin o arlleg
- Croen ½ lemon

Dim ond padell ffrio fydd i'w olchi gan fod y pryd cyfan yn cael ei goginio mewn un padell!

DULL

1. Rhwbiwch y cig gyda hanner yr harissa. Cynheswch badell ffrio sydd ddim yn glynu a ffrio'r cig am 3 munud bob ochr. Tynnwch y cig o'r badell a'i roi o'r neilltu cyn rhoi gweddill y past harissa yn y badell ynghyd â'r ffrwythau a'r cnau, y cwscws a'r gwycbys wedi'u draenio a'u troi'n dda.

2. Tynnwch y badell oddi ar y gwres, arllwys y stoc cynnes dros y cyfan a'i droi'n dda. Rhowch y cig oen 'nôl yn y badell a'i goginio dros wres isel. Rhowch glawr ar y badell a gadael y cyfan i goginio am 10 munud tan fod y cwscws wedi amsugno'r hylif a'r cig wedi'i goginio.

3. Defnyddiwch fforc i gymysgu'r cwscws yn ysgafn, yna ychwanegu'r dail mintys wedi'u torri, gwasgu'r sudd lemon drostyn nhw a chymysgu'r cyfan.

SAWS

1. Torrwch y ciwcymber ar ei hyd a thynnu'r hadau gyda llwy de, yna gratiwch ef a'i ychwanegu at yr iogwrt mewn powlen fach.

2. Pliciwch y garlleg a'i dorri'n fân a'i gymysgu gyda'r iogwrt, ynghyd â chroen yr hanner lemon. Sesnwch gyda halen a phupur a'i weini dros y cig oen.

One-pan Welsh lamb with couscous Serves 2

INGREDIENTS

- 2 Welsh lamb steaks
- 2 tsps of harissa paste
- 70g of dried fruit and nuts
- 85g of dry couscous
- 200g tin of chickpeas
- 200ml of lamb or vegetable stock
- 15g of mint leaves
- Juice of ½ a lemon

Sauce

- ½ a cucumber
- 150g of natural Greek yoghurt
- 1 clove of garlic
- Zest of ½ a lemon

Only a frying pan to wash for this recipe as it's all cooked in one pan!

METHOD

1. Rub half the harissa over both sides of the lamb and heat a non-stick frying pan over a high heat. Cook the lamb steaks for 3 minutes on both sides then remove and set aside. Put the rest of the harissa in the pan along with the fruits and nuts, couscous and drained chickpeas and stir well.

2. Remove from the heat and pour over the hot stock and mix well. Add the lamb back into the pan and place over a gentle heat, cover and leave to cook for 10 minutes until the couscous has absorbed all the liquid and the lamb is cooked.

3. Fluff up the couscous with a fork and add the chopped mint leaves and juice of ½ a lemon, mix through.

SAUCE

1. Cut the cucumber along its length and remove the seeds with a teaspoon then grate and mix with the yoghurt in a small bowl.

2. Peel and finely chop the garlic and add to the yoghurt along with the lemon zest. Season with salt and pepper and serve over the lamb.

Ysgwydd o gig oen Cymreig gyda rhosmari, lemwn a bara lawr

Arferai nifer o gogyddion arbrofi gyda bara lawr yn y bedwaredd ganrif ar bymtheg, gan ei weini gyda chig dafad Cymreig rhost mewn saws a wnaed gyda sudd oren. Mae'r rysáit hon yn fersiwn gyfoes o hwnnw. Gellir defnyddio coes cig oen heb asgwrn a'i goginio mewn 50 munud ar wres 180°C/Nwy 4.

Digon i 6

CYNHWYSION

- 4 llwy fwrdd o olew olewydd
- 4 ewin o arlleg
- 2 lwy fwrdd o sbrigynnau rhosmari ffres
- Llond llaw o ddail mintys ffres
- 1 lemwn
- 2 lwy fwrdd o fara lawr
- Halen Môn a phupur du
- Ysgwydd o gig oen Cymreig heb asgwrn wedi'i rowlio, tua 1.6kg
- 1 llwy fwrdd o fêl

DULL

1. Rhowch yr olew, y garlleg wedi pilio, y perlysiau a chroen a sudd y lemwn mewn prosesydd bychan er mwyn cyfuno popeth. Ychwanegwch y bara lawr at y gymysgedd ynghyd â halen a phupur.
2. Gwnewch dyllau bychan ond dwfn yn y cig oen a gwthio'r gymysgedd i'r tyllau, yn ogystal â'i thaenu dros arwyneb y cig. Rhowch y cig mewn tun rhostio, ei orchuddio a'i adael yn yr oergell am 3 awr neu dros nos.
3. Tynnwch y tun rhostio o'r oergell a gadael y cig am hanner awr tan y bydd yn cynhesu i wres yr ystafell.
4. Cynheswch y popty i 190°C / Nwy 5. Rhostiwch y cig oen yn y popty am 20 munud. Yna trowch y tymheredd i lawr i 160°C / Nwy 2 a choginio'r cig am 2½–3 awr, gan arllwys ychydig o'r sudd drosto bob hyn a hyn.
5. Tynnwch y cig o'r tun rhostio a'i roi ar blât gweini cynnes tra y byddwch chi'n gorffen gwneud y sudd.
6. Codwch y saim oddi ar y sudd a dod â'r cyfan i'r berw. Chwisgiwch y mêl i mewn, ychwanegu halen a phupur a'i weini gyda'r oen.

Welsh lamb shoulder with rosemary, lemon and laver

Laverbread takes its name from the Welsh bara lawr – bread or food from laver. Many cooks experimented with laver in the nineteenth century serving it with roast Welsh mutton in a sauce flavoured with orange juice. This recipe is a contemporary version of that recipe. You can also use a boneless leg of lamb which will cook in 50 minutes at 180°C/gas 4.

Serves 6

INGREDIENTS

- 4 tbsps of olive oil
- 4 garlic cloves
- 2 tbsps of fresh rosemary sprigs
- A handful of fresh mint leaves
- 1 lemon
- 2 tbsps of laverbread
- Halen Môn Pure sea salt and black pepper
- 1 boned and rolled shoulder of Welsh lamb, approximately 1.6kg
- 1 tbsp of honey

METHOD

1. Put the oil, peeled garlic, herbs, lemon rind and juice in a small processor and blitz until combined. Mix in the laverbread and season with sea salt and pepper.
2. Make small but deep incisions all over the lamb and push the mixture into the slits and smear all over the surface of the lamb. Put in a roasting tin, cover and leave in the fridge for 3 hours or overnight.
3. Remove the roasting tin from the fridge and leave the joint for half an hour until it reaches room temperature
4. Preheat the oven to 190°C / Gas mark 5. Put the lamb in the oven to roast for 20 minutes. Then turn down the oven temperature to 160°C / Gas mark 2 and cook for 2½–3 hours, basting occasionally with the juices.
5. Remove the joint from the roasting tin and place on a warm serving plate while you finish the jus.
6. Skim off any fat from the juices and bring to a simmer, whisk in the honey, season and serve with the lamb.

Cytledi cig oen Cymreig, briwsion lemon ac enllyn bara lawr

Y ffordd orau i fwyta'r rhain yw rhoi un ochr o'r cig yn yr enllyn yna'r briwsion lemon. Mwynhewch!

Digon i 4

CYNHWYSION

- 8 cytled o gig oen wedi'u torri yn y ffordd Ffrengig
- 1 llond llaw mawr o fintys ffres
- 1 llond llaw mawr o bersli ffres
- 1 llwy bwdin o gaprau
- 6 gercin bach
- 1 ewin o arlleg
- 3 llwy fwrdd o olew olewydd
- Croen 2 lemon a sudd 1 lemon
- 2 lwy fwrdd o fara lawr
- 1 llwy fwrdd o olew
- 15g o fenyn
- 4 llwy fwrdd o friwsion bara

DULL

1. Cynheswch badell ffrio sydd ddim yn glynu a choginio'r cytledi ar wres uchel tan yn euraid bob ochr. Yna trowch y gwres i lawr a choginio am ryw 3 munud bob ochr. Gadewch i orffwys am 5 munud.
2. Torrwch y mintys, y persli, y caprau a'r gercins yn fân a malu'r garlleg. Ychwanegwch yr olew olewydd, croen a sudd y lemon a'r bara lawr a'u cymysgu'n dda. Sesnwch nhw gyda halen a phupur os oes angen.
3. Cynheswch yr olew mewn padell ffrio arall ac ychwanegu'r menyn. Gadewch i'r menyn doddi yna ychwanegu'r briwsion bara a throi'r cyfan. Coginiwch y briwsion dros wres cymhedrol tan eu bod yn euraid a chrimp. Tynnwch oddi ar y gwres a chymysgu'r croen lemon a'r briwsion.
4. Gweinwch y cytledi gyda'r enllyn a'r briwsion bara lemon.

Welsh lamb cutlets, lemon crumb and laver relish

The best way to eat these cutlets is to dip one side in the laver relish followed by the lemon crumbs. Enjoy!

Serves 4

INGREDIENTS

- 8 French trimmed lamb cutlets
- 1 large handful of fresh mint
- 1 large handful of fresh parsley
- 1 dsp of capers
- 6 mini gherkins
- 1 clove of garlic
- 3 tbsps of olive oil
- Zest of 2 lemons and juice of 1 lemon
- 2 tbsps of laver bread
- 1 tbsp of oil
- 15g of butter
- 4 tbsps of breadcrumbs

METHOD

1. Heat a non-stick frying pan over a high heat and sear the cutlets on both sides until golden, reduce the heat and cook for a further 3 minutes on both sides. Remove and allow to rest for 5 minutes.
2. Finely chop the mint, parsley, capers and gherkins, crush the garlic. Add the olive oil, zest of 1 lemon, lemon juice and laver bread and stir. Season to taste.
3. Heat the oil in another frying pan and add the butter, leave to melt before adding the breadcrumbs and toss. Cook over a medium heat until crisp and golden. Remove from the heat and add the lemon zest.
4. Serve the cutlets with the dipping sauce and lemon breadcrumbs.

Parseli papur draenog y môr a bara lawr

Seabass laverbread paper parcels

Fe ellir defnyddio unrhyw bysgod lleol tymhorol yn y rysáit hon, fel eog, brithyll, penfras neu gorbenfras ayb.

Any seasonal local fish can be used in this recipe, such as salmon, trout, cod, haddock etc.

Dlgon i 2

CYNHWYSION

- 2 lwy fwrdd o olew had rêp
- 20g o fenyn
- ½ cenhinen
- 1 moronen
- 60g o fadarch
- 1 llwy fwrdd o daragon neu ffenigl
- 2 x 150g ffiled draenog y môr
- 50ml o win gwyn
- Sudd 1 lemon
- 2 lwy de o fara lawr sych

Serves 2

INGREDIENTS

- 2 tbsps of rapeseed oil
- 20g of butter
- ½ a leek
- 1 carrot
- 60g of mushrooms
- 1 tbsp of fresh taragon or fennel
- 2 x 150g of seabass fillets
- 50ml of white wine
- Juice of 1 lemon
- 2 tsps of dried laverbread

DULL

1. Cynheswch y popty i 220°C / Nwy 7.
2. Plygwch ddarn mawr o bapur gwrthsaim yn ei hanner yna'i dorri mewn siâp hanner lleuad.
3. Cynheswch un llwy fwrdd o'r olew mewn padell ffrio ac ychwanegu'r menyn, gan adael iddo doddi cyn ychwanegu'r genhinen wedi'i golchi a'i thorri a'r foronen wedi'i thorri'n julienne. Coginiwch am gwpl o funudau cyn ychwanegu'r madarch wedi'u sleisio. Tynnwch oddi ar y gwres, torri'r perlysiau'n fân a'u hychwanegu a'u sesno gyda halen a phupur.
4. Brwsiwch tu mewn y papur gyda gweddill yr olew a rhoi un darn o'r pysgod arno gyda'r llysiau ar ei ben. Rhowch y gwin, y sudd lemon a hanner y bara lawr ar ben y cyfan.
5. Plygwch hanner y papur rhydd dros y pysgodyn a phlygu'r ochrau i'w selio'n dynn. Gwnewch yr un peth gyda'r darn arall o bysgod a rhoi'r ddau barsel ar hambwrdd pobi wedi'i iro mewn popty am 7–8 munud. Gweinwch y parseli'n syth ar blatiau cynnes gyda thatws newydd lleol.

METHOD

1. Heat the oven to 220°C / Gas mark 7
2. Fold a large piece of greaseproof paper in half then cut in a half moon shape.
3. Heat 1 tbsp of oil in a frying pan and add the butter. Leave to melt, then add the washed and finely shredded leek and julienne of carrot and cook for a few minutes before adding the sliced mushrooms. Remove from the heat, add the finely chopped herbs and season with salt and pepper.
4. Brush the inside of both paper moons with the remaining oil and lay the fish fillet on one side then top with the vegetables. Pour over the wine and a squeeze of lemon juice and sprinkle over the laverbread.
5. Fold the free half of the paper over to make a parcel and fold over the edges to make an airtight seal. Repeat with the other fillet then place on an oiled baking sheet and cook in the oven for 7–8 minutes. Serve the parcels immediately on warm plates with local new potatoes.

Aeron hudolus Merlyn

Y pwdin symlaf yn y byd sy'n creu argraff bob tro!

Dlgon i 3–4

CYNHWYSION

- 75g o siocled gwyn
- 150ml o hufen dwbl
- 30ml o wirod hufen Merlyn
- Pinsiad o sinamon (dewisol)
- 300g o aeron cymysg, fel mafon, mefus, llysi duon, mwyar neu ffrwythau wedi'u rhewi

DULL

1. Toddwch y siocled a'r hufen mewn sosban fach dros wres isel. Tynnwch oddi ar y gwres ac ychwanegu'r gwirod a'r sinamon.
2. Paratowch y ffrwythau trwy eu golchi a'u haneru neu gwarteru'r ffrwythau mwyaf. Cymysgwch nhw a'u rhannu i bedair dysgl bwdin. Os ydych yn defnyddio ffrwythau wedi'u rhewi gadewch iddyn nhw ddadrewi ychydig – bydd y saws cynnes yn gwneud gweddill y gwaith.
3. Arllwyswch y saws cynnes drostyn nhw cyn eu gweini.

Merlyn's magic berries

The simplest of desserts which never fails to impress!

Serves 3–4

INGREDIENTS

- 75g of white chocolate
- 150ml of double cream
- 30ml of Merlyn cream liqueur
- Pinch of cinnamon (optional)
- 300g of mixed berries, such as raspberries, strawberries, blueberries, blackberries or frozen fruit

METHOD

1. In a small saucepan melt the chocolate and cream over a low heat. Remove and add the liqueur and cinnamon.
2. Prepare the fruit by washing and cutting any large fruits in half or quarters. Mix and divide between four serving dishes. Partially thaw the frozen fruit – the warm sauce will finish the work.
3. Pour over the warm sauce before serving.

Torte ffrwythau'r haf

Rysáit syml i'w pharatoi. Gellir bwyta'r darten yn oer neu'n gynnes ac mae'n berffaith ar gyfer picnic.

CYNHWYSION

- 150g o fenyn
- 150g o almonau mâl
- 150g o flawd plaen
- 150g o siwgr mân
- 1 wy
- 150g o fafon a llysi duon
- Blawd a siwgr eisin i'w weini

DULL

1. Cynheswch y popty i 180°C / Nwy 4. Rhowch y cynhwysion i gyd, heblaw'r ffrwythau, mewn prosesydd bwyd a'u cymysgu tan eu bod yn ffurfio pelen.
2. Rhannwch y gymysgedd yn ddau a gwasgu hanner i orchuddio gwaelod tun sgwâr 18cm. Rhowch y ffrwythau ar ei phen.
3. Sgeintiwch ychydig o flawd ar fwrdd a gwasgu gweddill y gymysgedd i siâp a maint y tun. Rhowch hon ar ben y ffrwythau a'i gwasgu i lawr yn ysgafn.
4. Coginiwch y torte am 40–45 munud tan ei fod yn euraid ac yn gadarn i'w gyffwrdd. Gadewch iddo oeri yn y tun cyn ei dorri'n 12 sgwâr a sgeintio siwgr eisin ar ei ben cyn ei weini.

Summer fruit torte

An easy recipe to prepare and delicious eaten hot or cold – perfect for a picnic!

INGREDIENTS

- 150g of butter
- 150g of ground almonds
- 150g of plain flour
- 150g of caster sugar
- 1 egg
- 150g of raspberries and blueberries
- Flour and icing sugar for dusting

METHOD

1. Preheat the oven to 180°C / Gas mark 4. Place all the ingredients, except the fruit, in a food processor and mix until it forms a ball.
2. Divide the mixture in half. Press one half into an 18cm square tin to cover the base. Sprinkle over the fruit.
3. On a lightly floured surface roughly press out the remaining mixture to the size of the tin. Place over the fruit and press down lightly.
4. Cook in the oven for 40–45 minutes or until golden brown and firm to the touch. Allow to cool completely before cutting into 12 squares and dust with icing sugar before serving.

Torth iâ mêl ac oren gyda mwyar duon

Fe ellir paratoi'r pwdin blasus hwn o flaen llaw a'i dynnu o'r rhewgell 30 munud cyn ei weini. Mae'r iogwrt yn ysgafnhau'r pwdin.

Digon i 6–8

CYNHWYSION

- 300ml o hufen dwbl
- 2 lwy fwrdd o fêl
- Hadau codyn fanila
- Croen 1 oren a 2 lwy fwrdd o sudd oren
- 200g o iogwrt naturiol gyda mêl Llaeth y Llan
- 70g o fisgedi Amaretti (tua 16) – cadwch 3 Amaretti i addurno
- 2 wynnwy
- 250g o fwyar duon
- 1 llwy fwrdd o siwgr mân
- 2 lwy fwrdd o jin eirin tagu (dewisol)

DULL

1. Leiniwch dun neu ddysgl 1 litr gyda digon o bapur gwrthsaim i lapio'r dorth yn gyfan gwbl.
2. Rhowch yr hufen, y mêl, yr hadau fanila, croen a sudd yr oren mewn powlen a'u chwisgio tan bod y gymysgedd yn gadarn cyn plygu'r iogwrt a'r bisgedi wedi'u briwsioni drwy'r gymysgedd.
3. Rhowch y gwynnwy mewn dysgl arall gyda phinsiad o halen a'u chwisgio tan yn gadarn cyn ei blethu i mewn i weddill y cynhwysion. Rhowch yn y tun, ei lapio'n dda a'i rhewi am o leiaf 5 awr neu dros nos.
4. Cyn gweini'r dorth rhowch hi yn yr oergell i ddadmer yn raddol a briwsioni'r 3 Amaretti dros ei phen.
5. Rhowch y mwyar a'r siwgr mewn sosban dros wres cymhedrol a'u troi'n ofalus tan iddyn nhw ddechrau coginio, ond bod siâp y ffrwyth yn amlwg o hyd. Tynnwch oddi ar y gwres ac ychwanegu'r jin cyn oeri'r saws a'i weini gyda'r dorth.

Iced honey and orange loaf with blackberries

A delicious dessert which can be prepared ahead and removed from the freezer 30 minutes before serving. The addition of yogurt makes a lighter pudding.

Serves 6–8

INGREDIENTS

- 300ml of double cream
- 2 tbsps of honey
- Vanilla pod seeds
- Zest of 1 orange and 2 tbsps of juice
- 200g of Llaeth y Llan natural yogurt with honey
- 70g of Amaretti biscuits (about 16) – keep 3 Amaretti to garnish
- 2 large egg whites
- 250g of blackberries
- 1 tbsp of caster sugar
- 2 tbsps of sloe gin (optional)

METHOD

1. Line a 1 litre tin or dish with enough clingfilm to completely wrap the pudding.
2. Put the cream, honey, vanilla seeds, the orange zest and juice in a bowl and whisk until firm before folding in the yogurt and biscuit crumbs.
3. Put the egg whites in another dish with a pinch of salt and whisk until firm, then fold into the mixture. Pour into the tin and wrap well, then freeze for at least 5 hours or overnight.
4. Before serving transfer to the fridge to slowly defrost and crumble the 3 remaining Amaretti on top.
5. Put the blackberries and sugar in a saucepan over a moderate heat and carefully stir until it starts to cook but with the fruit still holding their shape. Remove from the heat and add the gin then leave to cool and serve with the loaf.

Meringue cnau coco gyda hufen mafon crych

Gellir paratoi'r meringue o flaen llaw a'u cadw mewn tun aerglos tan yn barod i'w gweini.

CYNHWYSION

- 75g o gnau coco mân
- 4 gwynnwy
- 200g o siwgr mân
- 300ml o hufen dwbl
- 1 llwy fwrdd o ddŵr rhosyn
- 150g o fafon ffres
- Siwgr eisin i addurno

DULL

1. Cynheswch y popty i 140°C / Nwy 1–2. Tostiwch y cnau coco yn ysgafn a gadael iddyn nhw oeri.
2. Rhowch y gwynnwy mewn powlen fawr a chwisgio tan eu bod yn gadarn. Ychwanegwch y siwgr yn raddol, un llwyaid ar y tro gan barhau i chwisgio tan fod y gymysgedd yn drwchus ac yn sgleiniog. Plygwch y cnau coco wedi'u tostio i mewn i'r gymysgedd.
3. Rhowch ddarn o bapur gwrthsaim ar hambwrdd pobi a defnyddio llwy fwrdd i godi'r gymysgedd a chreu meringues unigol ar y papur, tan fod y gymysgedd wedi gorffen.
4. Pobwch y meringues yn y popty am 1½–2 awr tan eu bod yn gadarn. Rhowch nhw i oeri ar rwyll fetel.
5. Chwisgiwch yr hufen mewn powlen tan ei fod yn gadarn, yna ychwanegu'r dŵr rhosyn. Gyda fforc, gwasgwch hanner y mafon a'u hychwanegu i'r hufen ynghyd â gweddill y mafon cyfan. Cymysgwch nhw'n ofalus a gwneud brechdan gyda'r hufen a dau o'r meringues bach. Gwnewch yr un peth gyda gweddill y meringues a'u gweini'n syth gydag ychydig o siwgr eisin wedi sgeintio drostynt.

Coconut meringues and raspberry ripple cream

You can prepare the meringues ahead of time and keep in an airtight tin until ready to serve.

INGREDIENTS

- 75g of desiccated coconut
- 4 egg whites
- 200g of caster sugar
- 300ml of double cream
- 1 tbsp of rosewater
- 150g of fresh raspberries
- Icing sugar for dusting

METHOD

1. Preheat the oven to 140°C / Gas mark 1–2. Toast the coconut lightly and leave to cool.
2. Put the egg whites in a large bowl and whisk until stiff. Still whisking, start to add the caster sugar very slowly, tablespoon by tablespoon, until the mixture is thick and glossy. Fold in the toasted coconut.
3. Line a large baking tray with greaseproof paper and, using a tablespoon, place spoonfuls of the meringue mixture on the paper to create individual meringues. Repeat until all the mixture has been used up.
4. Bake the meringues in the oven for 1½–2 hours until firm and leave to cool on a wire rack.
5. Whisk the fresh cream in a bowl until thick and add the rosewater. Crush half of the raspberries with a fork and add to the cream, together with the rest of the whole raspberries. Mix carefully and sandwich two small meringues together with the cream. Repeat with the rest of the meringues and serve immediately dusted with icing sugar.

Nectarins rhost a saws mafon

Pwdin syml ond blasus tu hwnt. Fe ellir defnyddio eirin gwlanog yn lle nectarins.

CYNHWYSION

- 4 nectarin
- 1 melynwy mawr
- 2 lwy bwdin o siwgr mân
- 25g o fenyn meddal
- 50g o friwsion bisgedi Amaretti neu ratafia

Meringue

- 1 gwynnwy
- 40g o siwgr mân

Saws mafon

- 200g o fafon
- 50g o siwgr eisin

DULL

1. Cynheswch y popty i 180°C / Nwy 4.
2. Torrwch y nectarins yn eu hanner a gwaredu'r cerrig. Rhowch nhw mewn dysgl wedi'i hiro sy'n addas i'r popty.
3. Rhowch y melynwy, y siwgr a'r menyn mewn powlen a'u curo'n dda cyn ychwanegu'r briwsion bisgedi. Llenwch canol pob nectarin gyda'r gymysgedd.
4. Ar gyfer y meringue, curwch y gwynnwy tan yn gadarn ac ychwanegu'r siwgr yn raddol, gan ei guro'n dda tan ei fod yn gadarn ac yn sgleiniog. Rhowch y meringue ar ben pob nectarin a'u pobi yn y popty am 20 munud tan fod y ffrwythau wedi meddalu a'r meringue yn euraid.
5. Ar gyfer y saws, cymysgwch y mafon mewn prosesydd gyda'r siwgr eisin tan eu bod yn llyfn a'u gwasgu drwy ridyll i waredu'r hadau. Gweinwch gyda'r nectarins.

Roast nectarines with raspberry sauce

A simple but delicious dessert. You could also use peaches instead of nectarines.

INGREDIENTS

- 4 nectarines
- 1 large egg yolk
- 2 dsps of caster sugar
- 25g of softened butter
- 50g of Amaretti or ratafia crumbs

Meringue

- 1 large egg white
- 40g of caster sugar

Sauce

- 200g of fresh raspberries
- 50g of icing sugar

METHOD

1. Preheat the oven to 180°C / Gas mark 4.
2. Cut each nectarine in half and remove the stones. Place in a greased ovenproof dish.
3. Put the egg yolk, sugar and butter in a bowl and beat well, then mix in the biscuit crumbs. Fill each nectarine half with the mixture.
4. For the meringue, whisk the egg white until stiff then gradually add the sugar and whisk until stiff and glossy. Top each nectarine with the meringue and bake for 20 minutes until the fruit has softened and the meringue is golden.
5. For the sauce, put the raspberries and icing sugar in a processor and mix until smooth, then sieve to remove the seeds. Serve with the nectarines.

Treiffl silabwb ffrwythau'r haf

Gallwch ddefnyddio ffrwythau wedi'u rhewi os ydych chi am baratoi'r treiffl pan nad oes ffrwythau tymhorol ar gael, ond bydd angen eu coginio fymryn yn hirach.

Digon i 8

CYNHWYSION

- 100ml o win gwyn sych
- Croen a sudd 1 lemon
- 450g o aeron cymysg yr haf
- 175g o siwgr mân
- 6 thafell o gacen blaen, fel Madeira
- 12 o fisgedi Amaretti – cadwch 2 i addurno
- 300ml o hufen dwbl
- Almonau hollt

DULL

1. Arllwyswch y gwin i fowlen, ychwanegu 2–3 darn mawr o groen lemon a'i adael i fwydo am 1–2 awr.
2. Rhowch y ffrwythau mewn sosban gyda 50g o siwgr mân. Cynheswch yn raddol i dynnu'r sudd o'r ffrwythau a thoddi'r siwgr. Tynnwch y sosban oddi ar y gwres a gadael i'r cynnwys oeri.
3. Rhowch dafelli o'r gacen Madeira ar waelod dysgl weini wydr ynghyd â 10 o'r bisgedi Amaretti. Rhowch y ffrwythau a'r surop dros y gacen a'u rhoi yn yr oergell.
4. Tynnwch y croen lemon o'r gwin ac ychwanegu'r sudd lemon, 125g o siwgr mân a'r hufen dwbl. Chwisgwch i wneud silabwb ysgafn ond trwchus. Arllwyswch y silabwb dros y ffrwythau a gadael iddo oeri am oriau yn yr oergell – dros nos os oes modd.
5. Tostiwch yr almonau yn ysgafn a'u taenu dros y cyfan gyda'r briwsion Amaretti.

Summer fruit syllabub trifle

You can use frozen fruit if the soft fruit are not in season, but you may need to cook for a little longer.

Serves 8

INGREDIENTS

- 100ml of dry white wine
- Zest and juice of 1 lemon
- 450g of summer berries
- 175g of caster sugar
- 6 slices of plain cake, such as Madeira
- 12 Amaretti biscuits – keep 2 to garnish
- 300ml of double cream
- Split almonds

METHOD

1. Pour the wine into a small bowl then add 2–3 large pieces of lemon zest and leave to marinade for 1–2 hours.
2. Put all the fruit in a saucepan with 50g of the caster sugar. Warm gently to draw out the juice from the fruit and dissolve the sugar. Remove from the heat and leave to cool.
3. Put slices of the Madeira cake on the base of a glass serving bowl along with 10 Amaretti biscuits. Pour the fruit and syrup over the cake and leave to chill in the fridge.
4. Remove the lemon zest from the wine and add the lemon juice, 125g of the caster sugar and the double cream. Whisk well to make a light, thick syllabub then pour over the fruit and leave to chill for a few hours or overnight if possible.
5. Toast the almonds lightly and use to garnish with the Amaretti crumbs.

Granola sbelt a chnau

- 200g o gnau cymysg heb eu plisgyn (e.e. cnau almon, cnau cyll, cnau Ffrengig)
- 300g o naddion sbelt neu geirch mawr
- 100g o hadau cyfan cymysg (hadau sesame, hadau blodyn haul, hadau pwmpen, hadau llin)
- 50g o naddion cnau coco (dewisol)
- 50ml o olew had rêp
- 75ml o fêl
- 2 lwy fwrdd o bast tahini
- 1 llwy de o sinamon
- 1 llwy de o rin fanila
- Croen 1 oren

Wedi'i weini gyda iogwrt a ffrwythau'r tymor, mae hwn yn frecwast gwahanol ac iach. Fe allwch chi ei weini fel pwdin hefyd a'i daenu dros hufen iâ neu ffrwythau wedi'u potsio.

DULL
1. Cynheswch y popty i 170°C / Nwy 3.
2. Torrwch y cnau yn fras iawn fel eu bod yn ddarnau go fawr.
3. Cymysgwch y ceirch, y cnau, yr hadau a'r naddion cnau coco ynghyd mewn powlen gymysgu.
4. Cynheswch yr olew, y mêl, y tahini, y sinamon, y rhin fanila a'r croen oren wedi'i gratio'n fân ynghyd mewn padell fechan, gan droi popeth dros wres isel tan y bydd yn un gymysgedd lyfn.
5. Arllwyswch y gymysgedd dros y cynhwysion sych a chymysgu popeth yn dda.
6. Taenwch haen denau o'r gymysgedd ar hyd tun pobi mawr ac arno bapur gwrthsaem. Yna pobwch y cyfan am 20–25 munud, gan godi a throi'r gymysgedd hanner ffordd drwy'r amser coginio, a chan ofalu nad ydych chi'n torri'r lympiau.
7. Tynnwch y tun pobi o'r popty a gadael i'r cyfan oeri'n llwyr. Cadwch y granola mewn cynhwysydd wedi'i selio. Gweinwch gydag iogwrt naturiol a ffrwythau'r tymor.

Spelt and nut granola

INGREDIENTS

- 200g of mixed shelled nuts (e.g. almonds, hazelnuts, walnuts)
- 300g of spelt flakes or jumbo oats
- 100g of mixed whole seeds (sesame, sunflower, pumpkin, flax seeds)
- 50g of coconut flakes (optional)
- 50ml of rapeseed oil
- 75ml of honey
- 2 tbsp of tahini paste
- 1 tsp of cinnamon
- 1 tsp of vanilla extract
- Zest of 1 orange

Served with yogurt and seasonal fruit this is a healthier breakfast alternative which can also be served as a dessert and sprinkled over ice cream or poached fruit.

METHOD
1. Preheat the oven to 170°C / Gas mark 3.
2. Very roughly chop the nuts so that they stay in chunky pieces.
3. Mix the oats, nuts, seeds and coconut together in a mixing bowl.
4. Warm the oil, honey, tahini, cinnamon, vanilla extract and the finely grated orange zest together in a small pan, stirring over a low heat until smooth.
5. Pour over the dry ingredients and mix together well.
6. Spread the mixture evenly in a thin layer over a large baking tray lined with non-stick baking paper and bake for 20–25 minutes, lifting and turning the mixture over halfway through cooking, taking care not to break up the lumps.
7. Remove from the oven and leave to cool. Store the granola in an airtight container. Serve with natural yogurt and seasonal fruit.

HYDREF | AUTUMN

Salad caws Perl Las a gellyg

Amrywiad ar y cyfuniad clasurol o gaws glas a gellyg – gweinwch fel dechreufwyd neu ginio ysgafn.

Digon i 4

CYNHWYSION
- 4 tafell drwchus o fara cnau Ffrengig
- 2 lwy fwrdd o fenyn
- 1 llwy fwrdd o siwgr brown
- ½ llwy de o bupur wedi cracio
- 2 lwy fwrdd o ddail coriander ffres
- 2 ellygen aeddfed
- 110g o ferwr a dail salad cymysg
- 150g o gaws Perl Las

DULL
1. Tostiwch y bara'n ysgafn a thorri pob tafell yn ddau o gongl i gongl. Gadewch iddyn nhw oeri.
2. Cynheswch y menyn mewn padell ffrio dros wres cymhedrol. Rhowch y siwgr, y pupur a'r coriander wedi torri yn y badell ffrio a'u coginio am funud.
3. Torrwch y gellyg yn sleisys ½ cm o drwch, ar eu hyd o'r top i'r gwaelod, a'u coginio am ddwy funud bob ochr nes eu bod yn euraid.
4. I'w weini, rhowch y bara ar y platiau, rhoi ychydig o sleisys gellyg arnyn nhw, yna sleisys tenau o gaws Perl Las a llond llaw o ddail salad. Arllwyswch y sudd o'r badell ffrio dros y salad, taenu mwy o bupur wedi cracio drosto a'i weini ar unwaith.

Perl Las cheese and pear salad

A variation on the classic combination of pear and blue cheese – serve as a starter or light lunch.

Serves 4

INGREDIENTS
- 4 thick slices of walnut bread
- 2 tbsps of salted butter
- 1 tbsp of brown sugar
- ½ a tsp of cracked pepper
- 2 tbsps of coriander leaves
- 2 ripe pears
- 110g of watercress and mixed salad leaves
- 150g of Perl Las blue cheese

METHOD
1. Toast the bread lightly and cut each slice diagonally. Leave to cool.
2. Melt the butter in a frying pan over a medium heat. Add the sugar, pepper, chopped coriander and cook for a minute.
3. Slice the pears into ½ cm thick slices, vertically from top to bottom, add to the pan and cook for a few minutes on both sides until golden.
4. To serve, put the bread on a plate with a few slices of pear on top, then a few thin slices of Perl Las and a handful of salad leaves. Pour over the pan juices and some more black pepper and serve immediately.

Madarch garlleg a chaws pob

Rarebit garlic mushrooms

Dechreufwyd perffaith. Fe ellir paratoi'r gymysgedd caws o flaen llaw a'i chadw yn yr oergell tan fod ei hangen. Gweinwch gyda salad o ferwr.

An ideal starter. Prepare the rarebit mixture in advance and chill until required. Serve with a rocket salad.

Digon i 4

Serves 4

CYNHWYSION

- 4 o fadarch mawr Portobello
- 6 llwy fwrdd o olew olewydd
- 2 ewin o arlleg
- 30g o fenyn
- 30g o flawd plaen
- 100ml o laeth
- 200ml o gwrw lleol
- 2 lwy de o bowdwr mwstard
- 100g o gaws cryf Cymreig

INGREDIENTS

- 4 large Portobello mushrooms
- 6 tbsps of olive oil
- 2 cloves of garlic
- 30g of butter
- 30g of plain flour
- 100ml of milk
- 200ml of local beer
- 2 tsps of mustard powder
- 100g of strong Welsh cheese

DULL

1. Cynheswch y popty i 200°C / Nwy 6.
2. Paratowch y madarch trwy eu sychu gyda lliain cegin tamp a thynnu'r coesennau canol. Rhowch y madarch, yr olew a'r garlleg wedi'u malu mewn dysgl sy'n addas i'r popty a gadael iddyn nhw fwydo am 30 munud.
3. Toddwch y menyn dros wres isel, cymysgu'r blawd iddo i wneud roux a'i goginio am 30 eiliad. Tynnwch hwn oddi ar y gwres ac ychwanegu'r llaeth a'r cwrw, gan chwisgio wrth wneud. Coginiwch y saws dros wres isel a dal ati i'w droi tan ei fod yn berwi. Gadewch iddo fudferwi am 2 funud. Gadewch iddo oeri ychydig.
4. Ychwanegwch y mwstard a'r rhan fwyaf o'r caws a'u cymysgu'n dda. Sesnwch y cyfan gyda halen a phupur.
5. Rhostiwch y madarch am 7 munud, tynnu nhw allan o'r popty a rhoi'r gymysgedd caws ar bob un gan roi ychydig mwy o gaws ar ben y cyfan.
6. Cynheswch y gridyll i wres cymhedrol a rhoi y madarch i goginio tan fod y caws yn euraid.

METHOD

1. Preheat the oven to 200°C / Gas mark 6.
2. Prepare the mushrooms by wiping them with a damp kitchen towel and removing the centre stalks. Place the mushrooms, olive oil and crushed garlic in an ovenproof dish and leave to marinade for 30 minutes.
3. Melt the butter over a low heat, mix in the flour to make a roux and cook for 30 seconds. Remove from the heat and whisk in the milk and beer. Stir over a low heat until mixture reaches boiling point and simmer for 2 minutes. Allow to cool slightly.
4. Add the mustard and most of the cheese and mix well. Season with salt and pepper.
5. Roast the mushrooms for 7 minutes, remove from the oven and top with the rarebit mixture, sprinkling over the remaining cheese.
6. Grill the mushrooms on a medium heat until the cheese is golden brown.

Madarch Morgannwg

Yn draddodiadol, caws Morgannwg (wedi'i greu â llaeth o frîd prin o wartheg o'r enw Gwent) oedd yn cael ei ddefnyddio i wneud y selsig llysieuol, ond mae'n gyffredin i ddefnyddio caws Caerffili bellach. Mae'r gymysgedd yn y rysáit hon yn cael ei defnyddio fel llenwad i'r madarch, ac mae'n creu pryd llysieuol blasus dros ben.

Digon i 4

CYNHWYSION

- 4 o fadarch mawr y maes
- 1 llwy fwrdd o olew had rêp
- 75g o gaws Caerffili
- 1 llwy fwrdd o bersli
- ½ winwnsyn
- 75g o friwsion bara
- 1 wy

DULL

1. Cynheswch y popty i 200°C / Nwy 6.
2. Glanhewch y madarch a thorri'r coesynnau i ffwrdd. Diferwch ychydig o olew dros bob un a'u rhoi mewn dysgl sy'n addas i'r popty.
3. Torrwch goesynnau'r madarch yn fân, gratio'r caws a thorri'r persli a'r winwnsyn yn fân. Rhowch y cynhwysion mewn powlen gyda'r briwsion a'u cymysgu'n dda.
4. Ychwanegwch hanner yr wy wedi'i guro a chymysgu'r cyfan yn dda tan y bydd popeth yn dod at ei gilydd. Ychwanegwch fwy o'r wy os ydy'r gymysgedd yn rhy sych.
5. Rhannwch y gymysgedd rhwng y madarch a'u pobi am 12–15 munud tan fod y caws wedi toddi a'r gymysgedd yn lliw euraid. Gweinwch gyda salad.

Glamorgan mushrooms

Glamorgan cheese (made with milk from a rare breed of cattle known as Gwent) was traditionally used to make the vegetarian sausage but Caerphilly cheese is now commonly used instead. The mixture in this recipe is used to fill mushrooms and makes a delicious vegetarian meal.

Serves 4

INGREDIENTS

- 4 large field mushrooms
- 2 tbsps of rapeseed oil
- 75g of fresh breadcrumbs
- 75g of Caerphilly cheese
- 1 tbsp of parsley, finely chopped
- ½ an onion
- 1 egg, beaten

METHOD

1. Preheat the oven to 200°C / Gas mark 6.
2. Wipe the mushrooms and cut the stalks. Drizzle a little oil over each one and place in an ovenproof dish.
3. Finely chop the mushroom stalks, grate the cheese, finely chop the parsley and onion and put all the ingredients in a bowl along with the breadcrumbs.
4. Add half the beaten egg and mix well until the mixture starts to bind together. Add more egg if it's too dry.
5. Divide the mixture between the mushrooms and bake for 12–15 minutes until the cheese has melted and the mixture is golden. Serve with salad.

Tortilla betys, ysbigoglys a madarch

Fe ellir cadw'r hwmws betys sy'n weddill a'i fwynhau gyda bara pita a llysiau amrwd.

CYNHWYSION

- Tun 400g o wycbys
- 3 llwy fwrdd o dahini
- 2 ewin o arlleg
- 1 llwy de o gwmin
- 1 llwy de o goriander
- Sudd 1 lemon
- 3 llwy fwrdd o olew olewydd
- 300g o fetys wedi'i goginio
- 200g o fadarch cymysg
- 20g o fenyn
- 200g o ysbigoglys
- 8 tortilla india-corn

DULL

1. Draeniwch y gwycbys a'u rhoi mewn powlen prosesydd bwyd gyda'r tahini, y garlleg, y sbeisys, y lemon, 2 lwy fwrdd o'r olew a'r betys a'u cymysgu'n dda. Sesnwch gyda halen a phupur os oes angen ac ychwanegu ychydig o ddŵr os ydy'r hwmws yn rhy drwchus.
2. Torrwch y madarch yn ddarnau mawr a chynhesu gweddill yr olew a'r menyn mewn padell ffrio a choginio'r madarch tan iddyn nhw feddalu. Sesnwch nhw a'u rhoi ar blât, yna coginio'r ysbigoglys wedi'i olchi am funud neu ddwy yn yr un badell nes iddo ddechrau gwywo. Ychwanegwch ychydig o halen a phupur a sudd lemon.
3. Tostiwch ddwy ochr y tortilla mewn padell ffrio fawr ac, i'w gweini, taenwch yr hwmws betys ar eu pennau ac ychwanegu'r ysbigoglys, yna'r madarch. Bwytewch nhw'n syth.

Beetroot, spinach and mushroom tortillas

You can enjoy any leftover beetroot hummus with pitta bread and vegetable crudités.

INGREDIENTS

- 400g tin of chickpeas
- 3 tbsps of tahini
- 2 cloves of garlic
- 1 tsp of cumin
- 1 tsp of fresh coriander
- Juice of 1 lemon
- 3 tbsps of olive oil
- 300g of cooked beetroot
- 200g of mixed mushrooms
- 20g of butter
- 200g of spinach
- 8 corn tortillas

METHOD

1. Put the drained chickpeas, tahini, garlic, spices, lemon juice, 2 tablespoons of oil and beetroot in the bowl of a food processor and mix well. Season with salt and pepper and add a little water if the mixture is too thick.
2. Cut the mushrooms into large pieces and heat the rest of the oil and the butter in a large frying pan and cook the mushrooms until soft. Season and tip onto a plate, then add the spinach to the pan and cook for a minute or two until just wilted. Season and add the lemon juice.
3. Toast the tortillas in a large frying pan on both sides. To serve, spread with the beetroot hummus and top with the spinach, then the mushrooms. Enjoy immediately.

Madarch a phannas o'r badell gyda chrwst garlleg a phersli

Mae'r rysáit hon yn addas fel prif gwrs figan neu i gyd-fynd â seigiau cig ac yn well wedi ei gweini'n gynnes.

Digon i 2 fel prif gwrs ac i 4 fel saig ochr

CYNHWYSION

- 4 panasen
- 2 lwy fwrdd o olew had rêp
- 1 ewin o arlleg
- 100g yr un o fadarch shiitake a wystrys y coed
- 1 llwy fwrdd o deim ffres
- ¼ bresych crych (Savoy)
- 1 llwy fwrdd o finegr seidr
- 40g o gnau cyll

Crwst
- 2 ewin o arlleg
- 2 lwy fwrdd o bersli
- 1 llwy fwrdd o olew olewydd
- Croen 1 lemon

DULL

1. Pliciwch a thorri'r pannas yn ddarnau 2cm o faint. Berwch nhw am 10 munud mewn dŵr hallt. Draeniwch nhw a'u rhoi o'r neilltu.
2. I wneud y crwst, malwch y garlleg, torri'r persli a'u cyfuno mewn powlen gyda gweddill y cynhwysion.
3. Cynheswch yr olew mewn padell fawr a ffrio'r pannas tan y byddan nhw wedi brownio.
4. Ychwanegwch y garlleg wedi'i falu, y madarch a'r teim wedi'i dorri, a'u ffrio am 2 funud cyn ychwanegu'r bresych. Rhowch gaead ar y badell a choginio'r cyfan am 5 munud tan y bydd y bresych wedi meddalu. Tynnwch y badell oddi ar y gwres ac ychwanegu'r finegr seidr, a halen a phupur i roi blas.
5. Tostiwch a haneru'r cnau cyll ac i'w gweini, taenu'r crwst persli a'r cnau cyll dros y llysiau.

Sautéed mushrooms and parsnips with garlic parsley crumb

This dish is best served warm and is ideal as a vegan main course or as an accompaniment to meat dishes.

Serves 2 as a main course and 4 as a side dish

INGREDIENTS

- 4 parsnips
- 2 tbsps of rapeseed oil
- 1 clove of garlic
- 100g each of shiitake and oyster mushrooms
- 1 tbsp of fresh thyme
- ¼ of savoy cabbage
- 1 tbsp of cider vinegar
- 40g of hazelnuts

Crumb
- 2 garlic cloves
- 2 tbsps of parsley
- 1 tbsp of olive oil
- Zest of 1 lemon

METHOD

1. Peel and chop the parsnips into 2cm pieces. Boil for 10 minutes in salted water. Drain and put aside.
2. To make the crumb, crush the garlic and chop the parsley – combine in a bowl with the other ingredients.
3. Heat the oil in a large frying pan and sauté the parsnips until browned all over.
4. Add the garlic, mushrooms and chopped thyme and fry for 2 minutes before adding the cabbage. Cover and leave to cook for 5 minutes until the cabbage is softened. Remove from the heat and add the cider vinegar and season with sea salt and pepper.
5. Toast and halve the hazelnuts, and to serve, sprinkle the parsley crumb and hazelnuts over the vegetables.

Salad blodfresych rhost gyda dresin tahini

Mae blas blodfresych yn trawsnewid wedi'i rostio a'i garameleiddio, ac o'i gyfuno â chymysgedd o sbeisys mae'n ddeunydd salad hynod o flasus.

CYNHWYSION

- 1 blodfresych
- 4 ewin o arlleg
- 2 lwy fwrdd o olew olewydd
- 1 winwnsyn coch
- 2 lwy de o hadau cwmin
- 1 llwy de o dyrmerig
- 1 llwy de o naddion tsili
- Croen a sudd 2 lemon
- 2 lwy fwrdd o dahini
- 80g o ddail salad bach
- Llond llaw o ddail persli ffres
- Llond llaw o ddail coriander ffres

DULL

1. Cynheswch y popty i 200°C / Nwy 6.
2. Torrwch y blodfresych yn ddarnau bwytadwy a'u rhoi mewn powlen. Pliciwch a malu 2 ewin o arlleg a'u rhoi yn y fowlen gyda'r olew, y winwnsyn wedi'i dorri'n ddarnau mawr (tua 6–8 darn), yr hadau cwmin wedi'u malu, y tyrmerig, y tsili, croen y 2 lemon a sudd 1 lemon a'r halen a phupur.
3. Trowch yn dda tan fod y blodfresych wedi ei orchuddio ac yn euraid gyda'r sbeis. Arllwyswch ar hambwrdd pobi mawr a chuddio'r garlleg cyfan yng nghanol y llysiau.
4. Rhostiwch yn y popty am 20–25 munud tan fod y blodfresych wedi troi'n feddal a brown ond yn dal yn grimp, gan droi'r blodfresych hanner ffordd trwy'r amser coginio. Rhowch o'r neilltu i oeri ychydig a chadw'r garlleg.
5. I wneud y dresin, gwasgwch y garlleg wedi'i rostio o'r croen gyda fforc. Ychwanegwch y tahini, gweddill y sudd lemon a 4 llwy fwrdd o ddŵr, a'u cymysgu tan eu bod yn llyfn. Sesnwch nhw gyda halen a phupur.
6. Torrwch y persli a'r coriander yn fras a thaflu'r perlysiau a'r dail salad gyda'i gilydd mewn powlen fawr gan ychwanegu'r blodfresych rhost. Arllwyswch y dresin dros y salad a'i gymysgu'n ofalus cyn ei weini.

Roasted cauliflower salad with tahini dressing

Roasting and caramelising cauliflower transforms its flavour and with the addition of mixed spices makes a delicious salad.

INGREDIENTS

- 1 cauliflower
- 4 garlic cloves
- 2 tbsps of olive oil
- 1 red onion
- 2 tsps of ground cumin seeds
- 1 tsp of ground turmeric
- 1 tsp of chilli flakes
- Zest and juice of 2 lemons
- 2 tbsps of tahini
- 80g of baby leaf salad
- Handful of fresh parsley leaves
- Handful of fresh coriander leaves

METHOD

1. Preheat the oven to 200°C / Gas mark 6.
2. Cut the cauliflower into bite-size florets and put in a large bowl. Peel and crush 2 of the garlic cloves and add them to the cauliflower with the olive oil, onion cut into wedges (about 6–8 wedges), cumin, turmeric, chilli, zest of 2 lemons and juice of 1 lemon and salt and pepper.
3. Stir until the cauliflower is golden with spice and everything is well dispersed. Tip the mixture onto a large baking tray and tuck the remaining whole garlic cloves in amongst the vegetables.
4. Roast in the oven for 20–25 minutes until the cauliflower is browned and tender but still slightly crisp, turning the florets halfway through cooking. Set aside to cool slightly, reserving the whole garlic cloves.
5. To make the dressing, squeeze the softened roasted garlic from their skins and mash with a fork. Add the tahini, remaining lemon juice and 4 tablespoons of water and mix until smooth. Season with salt and pepper.
6. Roughly chop the parsley and coriander and toss the herbs and salad leaves together in a large bowl, then add the roasted cauliflower. Pour the dressing over the salad and gently toss everything together before serving.

Cyw iâr sbeislyd a llysiau rhost

Pryd ar frys mewn un tun – defnyddiwch unrhyw lysiau tymhorol.

Digon i 4

CYNHWYSION

- 4 coes o gyw iâr
- 4 llwy fwrdd o bast harissa
- 1 garlleg cyfan
- 350g o datws newydd bach
- 2 winwnsyn coch

- 1 pupur melyn
- 1 lemon
- 2 lwy fwrdd o olew olewydd
- 300g o domatos gwinwydd

DULL

1. Cynheswch y popty i 190°C / Nwy 5. Gwnewch dyllau dwfn gyda chyllell miniog yng nghroen y cyw iâr a rhoi'r past harissa dros y croen ac i mewn yn y tyllau. Torrwch y garlleg i ryddhau pob ewin a'u rhoi (yn eu crwyn) mewn tun rhostio ynghyd â'r cyw iâr.
2. Torrwch y tatws yn eu hanner os ydyn nhw'n fawr a'u rhoi yn y tun. Pliciwch a thorri'r winwns yn eu hanner, yna yn 4 darn yr un a'u hychwanegu at y cyw iâr ynghyd â'r pupur wedi'i dorri'n fras. Gwasgwch sudd y lemon dros bopeth a gadael y croen yn y tun. Sesnwch nhw gyda halen a phupur a thaenu'r olew dros y cyfan.
3. Coginiwch y cyw iâr a'r llysiau yn y popty am 20 munud yna ychwanegu'r tomatos gwinwydd o gwmpas y cynhwysion mewn grwpiau bach a'u dychwelyd i'r popty am ryw 20 munud arall tan fod y cyfan wedi coginio.

29/10/2021 G.A, R+M Good + easy – cooked seperate trays of chicken, veg + pots

Spicy chicken with roast vegetables

A speedy one-pot meal – you can use any seasonal vegetables.

Serves 4

INGREDIENTS

- 4 chicken legs
- 4 tbsps of harissa paste
- 1 whole garlic bulb
- 350g of small new potatoes
- 2 red onions

- 1 yellow pepper
- 1 lemon
- 2 tbsps of olive oil
- 300g of vine tomatoes

METHOD

1. Preheat the oven to 190°C / Gas mark 5. Make deep slashes in the chicken skin with a sharp knife and rub the harissa paste all over and into the holes. Release the cloves from the garlic bulb and put (skin on) in a roasting tin with the chicken.
2. Cut any large potatoes in half and add to the tin. Peel and cut the onions in half then into 4 wedges and add to the chicken with the roughly chopped pepper. Squeeze the lemon juice all over everything and leave the skin in the tin. Season with salt and pepper and pour over the oil.
3. Cook the chicken and vegetables for 20 minutes then add the vine tomatoes in small bunches around the other ingredients, then return to the oven for a further 20 minutes until the chicken and vegetables are all cooked thoroughly.

Stêcs gamon gyda sglein afal a seidr Cymreig

Mae porc ac afal yn gyfuniad clasurol ac amrywiad ar hyn sydd yn y rysáit yma. Byddai gwydraid mawr o seidr Cymreig yn cyd-fynd yn berffaith!

Digon i 4

CYNHWYSION

- 1 llwy fwrdd o olew olewydd
- 25g o fenyn
- 4 stecen gamon o borc Cymreig
- 2 afal bwyta
- 1 llwy fwrdd o siwgr Demerara
- 1 llwy fwrdd o finegr seidr
- 150ml o seidr

DULL

1. Cynheswch yr olew gyda hanner y menyn a ffrio'r stêcs gamon ar y ddwy ochr am tua 6–7 munud tan y byddan nhw wedi brownio rhyw fymryn. Tynnwch y stêcs o'r badell, eu gorchuddio a'u cadw'n gynnes. Tynnwch y canol o'r afalau a'u sleisio'n 8 darn yr un.
2. Yn yr un badell, ychwanegwch weddill y menyn, taenu'r siwgr drosto a throi'r gymysgedd tan y bydd y siwgr wedi toddi. Yna coginiwch yr afalau tan y byddan nhw wedi brownio ar bob ochr, cyn eu tynnu o'r badell.
3. Glanhewch y badell gyda'r finegr a chrafu'r sudd coginio o'r gwaelod. Ychwanegwch y seidr a thewhau'r saws tan y bydd o ansawdd surop. Rhowch y gamon yn ôl yn y badell i'w ailgynhesu a gweini'r stêcs ar unwaith gyda'r saws.

Gammon steaks with apple and Welsh cider glaze

Pork and apple are a classic combination served with a twist in this recipe. A large glass of Welsh cider is the perfect accompaniment!

Serves 4

INGREDIENTS

- 1 tbsp of olive oil
- 25g of butter
- 4 Welsh pork gammon steaks
- 2 eating apples
- 1 tbsp of Demerara sugar
- 1 tbsp of cider vinegar
- 150ml of cider

METHOD

1. Heat the oil with half the butter and fry the gammon steaks on both sides for 6–7 minutes until they are slightly browned. Remove from the pan, cover and keep warm. Core and slice the apples into 8 pieces.
2. In the same pan, add the remaining butter, sprinkle with sugar and stir until the sugar has dissolved. Cook the apples until browned on all sides, then remove.
3. Deglaze the pan with the vinegar and scrape up the cooking juices. Add the cider and reduce until you have a good syrupy sauce. Pop the gammon back in the pan to reheat and serve immediately with the sauce.

Pastai cig eidion, cennin a rösti tatws   Digon i 4

Mae hwn yn bryd cyflawn ond gellir ei weini gyda llysiau gwyrdd a defnyddio cig carw yn lle'r cig eidion.

CYNHWYSION

- 1 winwnsyn
- 2 lwy fwrdd o olew
- 450g o friwgig eidion neu garw
- 300ml o win coch
- 1 llwy de o deim sych neu 5 sbrigyn o deim, dail yn unig
- 2 ddeilen lawryf
- 2 lwy fwrdd o biwrî tomato
- 500g o datws, fel Desiree neu Charlotte
- 2 genhinen fach
- 200ml o hufen sur
- 30g o fenyn

DULL

1. Pliciwch a thorri'r winwnsyn yn fân. Cynheswch un llwy fwrdd o'r olew mewn padell ffrio fawr a ffrio'r winwnsyn am 3–4 munud tan ei fod yn feddal.

2. Ychwanegwch y cig a'i goginio am 10 munud tan iddo frownio. Arllwyswch y gwin dros y cig ac ychwanegu'r perlysiau, y piwrî tomato a'r halen a phupur. Trowch y gwres i lawr a gadael i'r cyfan fudferwi am tua 20 munud, gan ei droi bob hyn a hyn, tan fod yr hylif wedi anweddu.

3. Yn y cyfamser, cynheswch y popty i 190°C / Nwy 5. Rhowch y tatws yn gyfan, heb eu plicio, mewn sosban llawn dŵr oer. Dewch i'r berw a'u coginio am tua 7–10 munud. Rhowch y tatws yn syth mewn dŵr oer i oeri.

4. Mewn sosban arall, cynheswch weddill yr olew a choginio'r cennin wedi'u golchi a'u torri dros wres cymhedrol tan iddyn nhw feddalu. Sesnwch nhw gyda halen a phupur. Rhowch nhw ar waelod dysgl sy'n addas i'r popty a rhoi'r hufen dros ben y cyfan.

5. Pliciwch y tatws wedi oeri a'u gratio'n fras i bowlen fawr. Toddwch y menyn a'i arllwys dros y tatws a'u troi'n ofalus. Tynnwch y dail llawryf o'r gymysgedd cig a rhoi'r cig dros y cennin. Rhowch y tatws ar ben y cyfan a phobi am 35 munud tan ei fod yn euraid.

Welsh beef, leek and rösti potato pie   Serves 4

This recipe is a meal in itself but you can serve it with additional green vegetables. You could also use minced venison instead of the minced beef.

INGREDIENTS

- 1 onion
- 2 tbsps of oil
- 450g of minced beef or venison
- 300ml of red wine
- 1 tsp of dried thyme or 5 sprigs of thyme, leaves only
- 2 bay leaves
- 2 tbsps of tomato purée
- 500g of potatoes, such as Desiree or Charlotte
- 2 small leeks
- 200ml of sour cream
- 30g of butter

METHOD

1. Peel and finely chop the onion. Heat one tablespoon of oil in a large frying pan and fry the onion for 3–4 minutes until soft.

2. Add the minced meat and cook for a further 10 minutes until evenly browned. Pour in the wine and add the herbs, the tomato purée and salt and pepper. Reduce the heat and leave to simmer gently for about 20 minutes, stirring occasionally until the liquid has evaporated.

3. Meanwhile, preheat the oven to 190°C / Gas mark 5. Place the potatoes, whole and unpeeled, in a pan of cold water. Bring to the boil and cook for 7–10 minutes. Drain and plunge into cold water.

4. In another pan, heat the rest of the oil and cook the washed and chopped leeks over a medium heat until they soften, season with salt and pepper. Put in an ovenproof dish and pour the cream over the top.

5. Peel the cooled potatoes and grate coarsely into a large bowl. Melt the butter, pour over the potatoes and toss carefully to coat. Discard the bay leaves from the meat mixture and spoon the meat over the leeks. Top with the grated potato and bake for 35 minutes until crisp and golden.

Porc cnau cyll Cymreig gyda mwyar ac afal sbeislyd

Fe ellir paratoi'r saws o flaen llaw a'i ailgynhesu pan fod angen, a hefyd ei weini gyda ham neu borc wedi rhostio. Mae'n cadw'n dda yn yr oergell am hyd at bythefnos.

Digon i 4

CYNHWYSION

- 1 wy mawr
- 1 ffiled o borc (tua 450g)
- 2 lwy fwrdd o flawd plaen
- 125g o gnau cyll
- 25g o fenyn
- 1 llwy fwrdd o olew

Saws

- 300g o fwyar duon
- 1 afal coginio
- 50g o siwgr Demerara
- 100ml o sudd afal
- Darn 2.5cm o sinsir ffres
- 3 clof cyfan
- 1 seren anis
- 1 pren sinamon

DULL

1. Torrwch unrhyw fraster oddi ar y cig a churwch yr wy.
2. Ar blât mawr, sesnwch y blawd gyda halen a phupur a rolio'r cig ynddo, gan ysgwyd unrhyw flawd sy'n weddill oddi ar y cig. Rhowch yr wy mewn powlen fawr. Rhowch y cig yn y bowlen i orchuddio'r ochrau gyda'r wy, yna rolio'r ochrau yn y cnau cyll wedi'u torri'n fân er mwyn eu gorchuddio.
3. Torrwch y cig yn sleisys 3cm. Rhowch badell ffrio dros wres uchel, ychwanegu'r olew a'r menyn a brownio'r cig ar y ddau ddarn heb gnau, cyn troi'r gwres i lawr a'u coginio am ryw 8–10 munud yn fwy.
4. I wneud y saws, rhowch y mwyar duon, yr afal wedi'i blicio a'i dorri'n ddarnau bach, y siwgr, y sudd afal a'r sinsir wedi'i gratio mewn sosban ynghyd â'r sbeisys, a dewch â nhw i'r berw. Gadewch i fudferwi am ryw 20 munud, yna blaswch a sesno os oes angen. Tynnwch y sbeisys cyfan a gweini'r saws gyda'r cig.

Hazelnut crusted Welsh pork with spiced blackberry and apple

The sauce can be prepared ahead of time and heated when needed, and can also be served with ham or roast pork. It keeps well refrigerated for up to two weeks.

Serves 4

INGREDIENTS

- 1 large egg
- 1 pork tenderloin fillet (about 450g)
- 2 tbsps of plain flour
- 125g of hazelnuts
- 25g of butter
- 1 tbsp of oil

Sauce

- 300g of blackberries
- 1 cooking apple
- 50g of Demerara sugar
- 100ml of apple juice
- 2.5cm piece of root ginger
- 3 whole cloves
- 1 star anise
- 1 cinnamon stick

METHOD

1. Trim any fat or sinews from the pork and beat the egg.
2. On a large plate, season the flour with salt and freshly ground pepper. Roll the fillets in the flour and shake off any excess. Place the beaten egg in a large bowl and dip the pork fillets in it, coating the sides, then roll the sides of the fillets in the chopped hazelnuts to coat evenly.
3. Cut the fillets into 3cm slices. Place a frying pan over a high heat, add the oil and butter and brown each piece of meat on the nut-free side, then reduce the heat and cook for a further 8–10 minutes.
4. To make the sauce, place the blackberries, the peeled and diced apple, sugar, apple juice, and peeled and grated ginger in a saucepan with all the spices and bring to the boil. Simmer uncovered for 20 minutes then taste and season if required. Remove the whole spices before serving the sauce with the pork medallions.

Afal a sinsir pob gyda chwstard Penderyn

Dyma amrywiad ar dwmplen afal draddodiadol, sef yr arfer o lenwi afalau coginio gyda siwgr a ffrwythau sych cyn eu gorchuddio â chrwst.

Digon i 4

CYNHWYSION

- 4 afal bwyta canolig eu maint, fel Cox neu Braeburn
- 3 llwy fwrdd o jam sinsir Welsh Lady
- 1 llwy fwrdd o wisgi Penderyn
- 300g o grwst pwff wedi'i rowlio'n barod
- 1 wy
- 1 llwy fwrdd o siwgr Demerara, i'w sgeintio

Cwstard

- 200ml o laeth cyflawn
- 200ml o hufen sengl
- 4 melynwy
- 60g o siwgr mân
- 2 lwy fwrdd o wisgi Penderyn

DULL

1. Cynheswch y popty i 200°C / Nwy 6 a leinio tun pobi gyda phapur gwrthsaim.
2. Pliciwch yr afalau a thynnu'r canol, gan adael darn bach ar y gwaelod er mwyn cadw'r llenwad yn ei le. Cymysgwch y jam sinsir a'r wisgi a'u rhoi ym mhob afal.
3. Torrwch y crwst pwff yn stribedi hir, 1cm o led. Gan ddechrau ar waelod pob afal, lapiwch bob un â'r crwst, fel bod y crwst yn gorgyffwrdd fymryn wrth iddo droelli o amgylch yr afal.
4. Curwch yr wy gydag 1 llwy fwrdd o ddŵr. Brwsiwch y crwst â'r wy a sgeintio'r siwgr yn ysgafn dros y cyfan. Rhowch yr afalau yn y tun pobi parod a'u rhoi yn y popty am 15 munud. Trowch wres y popty i lawr i 180°C / Nwy 5 a phobi'r afalau am 10 munud arall tan y bydd y crwst yn frown euraid.
5. I wneud y cwstard, cynheswch y llaeth a'r hufen mewn sosban nes eu bod ar fin berwi. Yn y cyfamser, curwch y melynwy a'r siwgr ynghyd mewn powlen tan y bydd yn goleuo. Arllwyswch y llaeth cynnes ar ei ben a chymysgu'r cyfan yn dda.
6. Rhowch y gymysgedd mewn sosban lân a chynhesu'r cwstard nes ei fod yn mudferwi'n araf, gan ei droi â llwy bren drwy'r amser tan y bydd wedi tewhau ac yn glynu wrth gefn y llwy. Peidiwch â gadael i'r cwstard ferwi rhag ofn iddo geulo. Tynnwch y sosban oddi ar y gwres ac ychwanegu'r wisgi, a gweini'r cwstard gyda'r afalau pob.

Baked apple and ginger with Penderyn custard

This is a take on the traditional apple dumpling where cooking apples were filled with sugar and dried fruit, then covered in pastry.

Serves 4

INGREDIENTS

- 4 medium eating apples, such as Cox or Braeburn
- 3 tbsps of Welsh Lady ginger preserve
- 1 tbsp of Penderyn whisky
- 300g of ready rolled puff pastry
- 1 egg
- 1 tbsp of Demerara sugar

Custard

- 200ml of whole milk
- 200ml of single cream
- 4 egg yolks
- 60g of caster sugar
- 2 tbsps of Penderyn whisky

METHOD

1. Preheat oven to 200°C / Gas mark 6 and line a baking tray with greaseproof paper.
2. Peel and remove the core of the apple, leaving a little at the bottom to contain the filling. Mix the ginger preserve with the whisky and spoon into each apple.
3. Cut the puff pastry into long strips, 1cm wide. Starting at the base, wrap each apple with pastry so that it overlaps slightly as it spirals around the fruit.
4. Whisk the egg with 1 tablespoon of water. Brush the pastry with the egg and sprinkle with sugar. Place on the prepared baking tray and bake for 15 minutes. Reduce the oven temperature to 180°C / Gas mark 5 and bake the apples for another 10 minutes, until the pastry is a rich golden brown.
5. To make the custard, heat the milk and cream in a heavy based saucepan and bring just to the boil. Meanwhile whisk the egg yolks and sugar together in a bowl until pale. Pour over the warmed milk and mix well.
6. Place the mixture in a clean saucepan and slowly bring the custard to a gentle simmer, stirring all the time with a wooden spoon until

it thickens and coats the back of the spoon. Do not allow the custard to boil as it may curdle. Remove from the heat and add the whisky. Serve with the cooked apples.

Cacen afal Cox a chnau cyll

Mae mwydo'r syltanas mewn brandi neu seidr yn eu chwyddo a'u gwneud yn suddiog. Fe ellir defnyddio sudd afal os am gacen ddialcohol.

CYNHWYSION

- 100g o syltanas
- 3 llwy fwrdd o frandi neu seidr
- 200g o fenyn, wedi'i feddalu
- 175g o siwgr muscovado golau
- Croen 1 lemon mawr
- 1½ llwy de o sinamon
- 1 llwy de o nytmeg cyfan, wedi'i gratio
- 3 wy mawr
- 200g o flawd codi
- 4 afal Cox
- 50g o gnau cyll

DULL

1. Rhowch y syltanas i fwydo yn y brandi neu seidr am o leiaf 2 awr.
2. Cynheswch y popty i 180°C / Nwy 4.
3. Irwch a leinio tun 23cm gwaelod rhydd gyda phapur gwrthsaim.
4. Curwch y menyn, y siwgr, y lemon a'r sbeisys yn dda. Ychwanegwch yr wyau, un ar y tro a phlygu'r blawd, 2 o'r afalau wedi'u gratio gyda'r croen a'r syltanas i mewn i'r gymysgedd. Arllwyswch y cyfan i'r tun.
5. Pliciwch a sleisio gweddill yr afalau a'u rhoi ar ben y gacen. Sgeintiwch gyda'r cnau cyll wedi'u torri'n fras a phobi am 65–70 munud.
6. Gadewch iddi oeri yn y tun am 20 munud cyn ei gweini.

Cox apple and hazelnut cake

Soaking the sultanas in brandy or cider will make them plump and juicy and you could soak them in apple juice for a non-alcoholic cake.

INGREDIENTS

- 100g of sultanas
- 3 tbsps of brandy or cider
- 200g of butter, softened
- 175g of light muscovado sugar
- Zest of 1 large lemon
- 1½ tsp of ground cinnamon
- 1 tsp of whole nutmeg, grated
- 3 large eggs
- 200g of self-raising flour
- 4 Cox apples
- 50g of hazelnuts

METHOD

1. Soak the sultanas in the brandy or cider for at least 2 hours.
2. Preheat the oven to 180°C / Gas mark 4.
3. Grease and line a 23cm loose-bottomed cake tin with baking parchment.
4. Beat the butter, sugar, lemon zest and spices together. Add the eggs, one at a time, then fold in the flour, two of the apples grated with the skin on and the sultanas. Pour into the tin.
5. Peel and slice the remaining apples and arrange on top of the cake, scatter with the roughly chopped hazelnuts and bake for 65–70 minutes.
6. Cool in the tin for 20 minutes before serving.

Afal ac eirin gyda chnau almon crimp

Dyma bwdin hynod o gyflym a blasus, a gellir defnyddio unrhyw ffrwythau tymhorol fel eirin mair, riwbob, gellyg, mwyar ayb. Fe allwch chi hefyd ychwanegu rhywfaint o sbeisys, fel sinamon, nytmeg neu glofs.

Digon i 4

CYNHWYSION

- 600g o afalau coginio ac eirin
- Sudd ½ lemon
- 110g o siwgr Demerara
- 40g o sbelt neu flawd gwenith cyflawn
- 170g o naddion sbelt neu geirch wedi'u rowlio
- 50g o almonau wedi'u hollti
- 20g o hadau pwmpen (dewisol)
- 120g o fenyn

DULL

1. Cynheswch y popty i 190°C / Nwy 5. Pliciwch a thorri'r afalau, haneru a thynnu'r garreg o'r eirin. Rhowch y ffrwythau wedi'u paratoi mewn dysgl gron 18cm wedi'i hiro, sy'n addas i'r popty, cyn diferu sudd lemon drostyn nhw a thaenu 50g o siwgr dros y cyfan.
2. Mewn powlen ar wahân, cymysgwch y blawd, y ceirch, yr almonau, yr hadau a gweddill y siwgr gyda'i gilydd. Toddwch y menyn a'i ychwanegu at y blawd a'u cymysgu'n dda.
3. Arllwyswch dros y ffrwythau a phobi'r cyfan am 35 munud tan y bydd y ffrwythau wedi coginio a'r top yn euraid.
4. Gweinwch y pwdin gyda chwstard, hufen neu hufen iâ.

Apple and plum with almond crisp

A super quick and delicious pudding for using any seasonal fruits, such as gooseberries, rhubarb, pears, blackberries etc. You can also add some spices, such as cinnamon, nutmeg or cloves.

Serves 4

INGREDIENTS

- 600g of apples and plums
- Juice of ½ a lemon
- 110g of Demerara sugar
- 40g of spelt or wholemeal flour
- 170g of spelt flakes or rolled oats
- 50g of split almonds
- 20g of pumpkin seeds (optional)
- 120g of butter

METHOD

1. Preheat the oven to 190°C / Gas mark 5. Peel and chop the apples, halve and stone the plums. Put the prepared fruit in a greased 18cm round ovenproof dish, toss in the lemon juice and sprinkle with 50g of sugar.
2. In a separate bowl, mix the flour, oats, nuts, seeds and remaining sugar. Melt the butter and stir into the flour mixture until evenly mixed.
3. Pour over the fruit and bake for 35 minutes until the fruit is cooked and the top is golden.
4. Serve with custard, cream or ice cream.

Torth gorbwmpen, leim a chnau pistasio

Mae'r gorbwmpen yn creu cacen laith, a thrwy ddefnyddio olew yn lle menyn mae'n addas i rai sydd ag alergedd i gynnyrch llaeth.

CYNHWYSION

- 100g o gnau pistasio
- 170ml o olew llysiau
- 200g o siwgr mân
- 2 wy mawr
- 200g o flawd codi
- 250g o gorbwmpen
- Croen 3 leim

Surop

- 100g o siwgr mân
- 60ml o sudd leim
- Croen 1 leim

DULL

1. Cynheswch y popty i 180°C / Nwy 4.
2. Rhowch y cnau ar hambwrdd pobi a'u rhostio am ryw 5 munud tan eu bod yn dechrau troi'n euraid. Gadewch iddyn nhw oeri cyn eu rhoi mewn prosesydd bwyd a'u malu tan eu bod fel briwsion bara. Cadwch rhyw 25g ar gyfer addurno.
3. Rhowch yr olew a'r siwgr mewn powlen a'u cymysgu tan eu bod yn drwchus a hufennog. Ychwanegwch yr wyau, un ar y tro, yna plygu'r cnau, y blawd, y gorbwmpen wedi'i gratio'n fras a chroen y leims i mewn i'r cyfan.
4. Arllwyswch y gymysgedd i dun torth 450g wedi'i iro a phobi'r gacen am awr neu tan fod sgiwer yn dod ohoni'n lân.
5. Tra bod y gacen yn coginio paratowch y surop drwy roi'r siwgr mewn sosban fach a'i gynhesu dros wres cymhedrol tan iddo doddi. Ychwanegwch y sudd leim a throi'r surop yn dda.
6. Unwaith i'r gacen goginio gwnewch dyllau ar y wyneb gyda sgiwer ac arllwys y surop poeth i'r tyllau. Sgeintiwch weddill y cnau dros y gacen ynghyd â chroen y leim. Gadewch iddi oeri yn y tun cyn ei gweini.

Courgette, lime and pistachio loaf

The addition of courgette makes this a moist cake, and by using oil instead of butter it is suitable for those with a dairy allergy.

INGREDIENTS

- 100g of pistachios
- 170ml of vegetable oil
- 200g of caster sugar
- 2 large eggs
- 200g of self-raising flour
- 250g of courgettes
- Zest of 3 limes

Syrup

- 100g of caster sugar
- 60ml of lime juice
- Zest of 1 lime

METHOD

1. Preheat the oven to 180°C / Gas mark 4.
2. Put the nuts on a baking tray and roast for around 5 minutes until they are beginning to turn golden. Remove and leave to cool before blitzing in a food processor until they look like breadcrumbs. Set aside 25g for garnish.
3. Put the oil and sugar in a bowl and beat until thick and creamy. Add the eggs, one at a time, then carefully fold in the nuts, flour, coarsely grated courgettes and lime zest.
4. Pour the mixture into a greased and lined 450g loaf tin and bake for an hour until a skewer comes out clean.
5. While the cake is baking, prepare the drizzle by warming the sugar in a pan over a medium heat until dissolved. Add the lime juice and stir well.
6. Once the cake is cooked prick it all over with a skewer and pour over the warm syrup. Scatter over the remaining nuts and lime zest. Leave to cool in the tin before serving.

Cacen eirin Dinbych, almon a sinsir   Digon i 8

Eirin Dinbych yw'r unig fath brodorol o eirin yng Nghymru gyda mwy a mwy yn cael eu tyfu yn yr ardal yn ystod y ddegawd ddiwethaf.
Mae'n cael ei ddathlu mewn gŵyl arbennig ym mis Hydref ac wedi ennill statws enw bwyd gwarchodedig o dan gynllun yr Undeb Ewropeaidd.

CYNHWYSION

- 125g o fenyn ynghyd â mwy i iro
- 125g o siwgr tywyll, meddal
- 2 wy
- 100g o flawd codi
- 3 llwy de o sinsir mân
- Croen a sudd 1 oren
- 50g o gnau almon mân
- 5–6 o eirin Dinbych canolig eu maint, wedi'u haneru a thynnu'r garreg
- 1 llwy fwrdd o fêl
- Cnau almon wedi'u hollti (dewisol)

DULL

1. Cynheswch y popty i 180°C / Nwy 4. Irwch a leinio tun crwn, dwfn, 20cm o faint.
2. Curwch y menyn wedi'i feddalu a'r siwgr tan y byddan nhw'n ysgafn ac yn hufennog. Hidlwch y blawd. Ychwanegwch un wy a churo'r gymysgedd yn dda cyn rhoi llwyaid o flawd i mewn wrth ychwanegu a churo'r ail wy.
3. Gan ddefnyddio llwy fetel, ewch ati'n bwyllog i blethu gweddill y blawd, y sinsir mân, croen yr oren a'r cnau almon mân i mewn. Os yw'r gymysgedd yn rhy drwm, ychwanegwch sudd yr oren fel ei fod yn gallu llifo.
4. Tywalltwch y gymysgedd i'r tun cacennau, a defnyddio cefn llwy i'w lyfnhau tan ei fod yn wastad. Gwthiwch yr eirin i'r gymysgedd, gyda'r croen yn gyntaf. Pobwch am 40–50 munud neu tan y bydd sgiwer yn dod ohoni'n lân.
5. I roi sglein ar y gacen, toddwch y mêl mewn padell a'i frwsio ar dop y gacen. Gallwch addurno'r gacen gyda chnau almon wedi'u hollti.

Denbigh plum, almond and ginger cake   Serves 8

The Denbigh Plum is the only native variety of plum in Wales with a resurgence of plum trees being grown in the area over the last decade.
There is even a special festival held in October to celebrate the plum which has gained a protected food name under the European Union scheme.

INGREDIENTS

- 125g of butter plus extra for greasing
- 125g of soft, dark sugar
- 2 large eggs
- 100g of self-raising flour
- 3 tsps of ground ginger
- Zest and juice of 1 orange
- 50g of ground almonds
- 5–6 medium-size Denbigh plums, halved and stoned
- 1 tbsp of honey
- Split almonds (optional)

METHOD

1. Pre-heat the oven to 180°C / Gas mark 4. Grease and line the base of a deep 20cm sandwich tin.
2. Sift the flour. Beat together the softened butter and sugar until light and creamy. Add one egg and beat well, add a spoonful of flour as you beat in the second egg.
3. Using a metal spoon, gently fold in the rest of the flour, ground ginger, orange zest and ground almonds. If the mixture is too stiff add the juice of the orange to make a dropping consistency.
4. Pour the mixture into the cake tin and level with the back of a spoon. Push the plums into the mixture skin side down. Bake for 40–50 minutes or until a skewer comes out clean.
5. To glaze the cake, melt the honey in a pan and brush on top of the cake. Garnish with split almonds if you wish.

Cawl cennin a chaws Cymreig

Mae modd defnyddio unrhyw fath neu gymysgedd o gaws Cymreig ac mae'n ffordd dda o ddefnyddio darnau o gaws sydd dros ben.

Digon i 6

CYNHWYSION

- 700g o gennin
- 225g o winwns
- 225g o gaws cryf Cymreig
- 2 lwy fwrdd o olew had rêp
- 20g o fenyn
- 2 lwy fwrdd o flawd plaen
- 1.4 litr o stoc cyw iâr neu lysiau
- 150ml o hufen dwbl (dewisol)
- 1 llwy bwdin o fwstard grawn cyflawn

DULL

1. Golchwch a thorri'r cennin a'r winwns yn fras. Torrwch y caws yn giwbiau bach.
2. Cynheswch yr olew a'r menyn mewn sosban fawr a choginio'r winwns am 5 munud. Ychwanegwch y cennin a'u coginio am 10 munud, gan droi bob hyn a hyn tan eu bod yn feddal. Rhowch y blawd dros y cennin a'u cymysgu nes fod y gymysgedd yn llyfn, yna ychwanegwch y stoc a'i gymysgu'n dda.
3. Dewch â'r cyfan i'r berw cyn troi'r gwres i lawr a mudferwi am 15 munud cyn ychwanegu'r hufen a'r mwstard.
4. Ychwanegwch y caws gan droi tan iddo doddi. Sesnwch y cawl os oes angen cyn ei weini mewn powlenni cynnes gyda bara ffres.

Welsh cheese and leek soup

Use any Welsh cheese or combination of cheeses for this recipe and it's a great way of using pieces of leftover cheese.

Serves 6

INGREDIENTS

- 700g of leeks
- 225g of onions
- 225g of strong Welsh cheese
- 2 tbsps of rapeseed oil
- 20g of butter
- 2 tbsps of plain flour
- 1.4 litres of chicken or vegetable stock
- 150ml of double cream (optional)
- 1 dtsp of wholegrain mustard

METHOD

1. Wash and chop the leeks and roughly chop the onions. Cut the cheese into small dice.
2. Heat the oil and butter in a large saucepan and cook the onions for 5 minutes. Add the leeks and cook for 10 minutes, stirring from time to time until they are soft. Put the flour over the leeks and mix until smooth, then add the stock and stir well.
3. Bring back to the boil then reduce the heat and simmer gently for 15 minutes. Stir in the cream and mustard.
4. Add the cheese and stir until melted. Season if required before serving in warmed soup bowls with crusty bread.

Cawl persli a chennin gyda chyw iâr wedi'i fygu

Mae'r ysbrydoliaeth ar gyfer y cawl hwn yn dod o hen rysáit. Fe fyddai'n cael ei fwyta i swper gan lowyr yn ne Cymru. Mae'r cyw iâr wedi'i fygu yn ychwanegiad moethus iawn.

Digon i 6

CYNHWYSION

- 4 cenhinen
- 2 daten fawr
- 80g o bersli, y dail a'r coesynnau
- 1 winwnsyn
- 1 llwy fwrdd o olew
- 25g o fenyn
- 800ml o stoc llysiau
- 200ml o laeth
- 2 frest cyw iâr wedi'u mygu

DULL

1. Golchwch y cennin a'u sleisio, gan gofio defnyddio'r darnau gwyrdd ar y top. Pliciwch a thorri'r tatws yn ddarnau 3cm o faint a phlicio a thorri'r winwns yn fân.
2. Gwahanwch ddail a choesynnau'r persli, cyn torri'r coesynnau'n fân.
3. Mewn sosban fawr, ffrïwch y winwnsyn mewn olew a menyn, a phan fydd yn feddal, ychwanegwch y tatws, coesynnau'r persli a'r cennin wedi'u sleisio. Coginiwch am tua 5 munud heb adael i'r llysiau frownio.
4. Ychwanegwch y stoc a'i goginio am tua 10 munud, tan y bydd y tatws yn feddal. Gadewch i'r gymysgedd oeri am ychydig funudau.
5. Torrwch y dail persli a'u hychwanegu. Rhowch y cyfan mewn peiriant i'w droi'n hylif ac ychwanegu halen a phupur gan bwyll bach.
6. Dychwelwch y cawl i'r badell ac ychwanegu'r llaeth. Ailgynheswch y cawl yn araf, gan ofalu nad yw'n berwi.
7. Torrwch y cyw iâr wedi'i fygu yn haenau tenau a'i weini yn oer ar ben pob powlennaid, gan addurno â mymryn o bersli mân.

Parsley and leek soup with smoked chicken

This soup is based on a traditional recipe which was served for the miner's supper in south Wales. The lightly smoked chicken is a luxurious addition.

Serves 6

INGREDIENTS

- 4 leeks
- 2 large potatoes
- 80g of parsley, leaves and stems
- 1 onion
- 1 tbsp of oil
- 25g of butter
- 800ml of vegetable stock
- 200ml of milk
- 2 smoked chicken breasts

METHOD

1. Rinse the leeks and slice them, making sure that you use the green tops. Peel and chop the potatoes into 3cm pieces and peel and dice the onions.
2. Separate the tops from the stems of the parsley and then chop up the stems.
3. In a large saucepan, fry the onion in the warmed oil and butter and, when soft, add the potatoes, parsley stems and sliced leeks. Cook for about 5 minutes without allowing the vegetables to colour.
4. Add the stock and cook for about 10 minutes, until the potatoes are tender. Allow to cool for a few minutes.
5. Chop the parsley leaves and add to the mixture. Liquidise and season carefully.
6. Return to the rinsed pan and add the milk. Reheat gently but without allowing the soup to boil.
7. Thinly slice the smoked chicken and serve cold on top of each bowl of soup, garnishing with chopped parsley.

Tarten wreiddlysiau wedi'i charameleiddio

Mae'r darten wyneb i waered hon yn addas i figaniaid, ond fe allech chi hefyd friwsioni tua 100g o gaws Caerffili drosti pan fydd hi ar y plât ac yn dal yn gynnes.

CYNHWYSION

- ½ pwmpen cnau menyn
- 1 yr un o'r canlynol: moronen, betysen a winwnsyn coch
- 1 llwy fwrdd o olew olewydd
- 2 ewin o arlleg
- 1 llwy de o ddail rhosmari ffres ac 1 sbrigyn cyfan
- 45g o siwgr mân
- Ychydig o ddail saets
- 50g o gnau Ffrengig
- 350g o grwst pwff parod

DULL

1. Cynheswch y popty i 180°C / Nwy 4. Torrwch y bwmpen yn ei hanner, ar ei hyd, a thynnu'r hadau a'i plicio. Yna torrwch y llysieuyn yn siapiau hanner lleuad tua 0.5–1cm o faint a'u rhoi mewn powlen ganolig.

2. Pliciwch a thorri'r foronen yn ei hanner, ar ei hyd, ac ychwanegu'r darnau at y bwmpen. Pliciwch a sleisio'r fetysen a'r winwnsyn a rhoi'r rheini yn y bowlen hefyd. Arllwyswch yr olew dros y llysiau, y garlleg wedi malu, y dail rhosmari wedi torri'n fân, hanner llwy de o halen a digonedd o bupur. Cymysgwch y cyfan.

3. Dros wres rhwng cymhedrol ac uchel, cynheswch badell ffrio 24cm, un sy'n addas i'r popty a ddim yn glynu. Ychwanegwch y siwgr a'i goginio am 4–5 munud tan y bydd wedi toddi ac yn lliw caramel gweddol dywyll. Yna tynnwch y badell oddi ar y gwres (bydd y siwgr yn dal i goginio, felly peidiwch â'i adael yn rhy hir). Gadewch y caramel i oeri rhywfaint, yna rhowch y sbrigyn o rosmari ac ychydig o ddail saets yn y caramel. Trefnwch y sleisys llysiau o amgylch y rhosmari mewn patrwm cylch, gan weithio o'r tu allan a'u gorgyffwrdd os oes modd. Ychwanegwch y cnau Ffrengig wedi'u haneru. Rhowch unrhyw rosmari a garlleg sydd ar ôl yn y bowlen ar ben y darten.

4. Rholiwch y crwst yn gylch tua 26cm o faint a'i osod ar ben y llysiau, gan sicrhau ei fod yn gorchuddio'r holl gynnwys. Plygwch yr ochrau i mewn. Priciwch y crwst gyda fforc cyn pobi'r darten am 45–50 munud, tan y bydd y crwst yn frown euraid a swigod o garamel i'w gweld ar yr ochrau. Rhowch blât mawr wyneb i waered ar dop y badell ffrio a'u troi fel bod y darten yn gorwedd ar y plât.

Caramelised root vegetable tart

This upside down tart is suitable for vegans but you can also crumble 100g of Caerphilly cheese over it once it is plated and still warm.

INGREDIENTS

- ½ a butternut squash
- 1 each of the following: carrot, beetroot and red onion
- 1 tbsp of olive oil
- 2 garlic cloves
- 1 tsp of fresh rosemary leaves and 1 whole sprig
- 45g of caster sugar
- A few sage leaves
- 50g of walnuts
- 350g of ready-made puff pastry

METHOD

1. Heat the oven to 180°C / Gas mark 4. Cut the squash in half lengthways, scoop out and discard the seeds then peel. Cut the flesh into 0.5–1cm half-moons and put these in a medium bowl.

2. Peel and slice the carrot lengthways and add to the squash. Peel and slice the beetroot and onion and add to the bowl. Pour over the oil, crushed garlic, chopped rosemary leaves, ½ a teaspoon of salt and plenty of pepper. Toss to coat.

3. Heat a 24cm non-stick, oven-proof frying pan on a medium–high heat. Add the sugar, cook for 4–5 minutes until it melts and becomes a semi-dark caramel, then take off the heat (it will keep cooking, so don't leave it too long). Leave the caramel to cool a little, then lay the sprig of rosemary and a few sage leaves in the caramel. Arrange the vegetable slices around the rosemary in a circular pattern, working from the outside in and overlapping as much as possible. Add the halved walnuts. Spoon over any rosemary and garlic left in the bowl.

4. Roll the pastry into a 26cm circle and lay it on top of the vegetables, making sure it covers all the contents, tucking in around the sides. Prick all over with a fork and bake for 45–50 minutes, until the pastry is golden brown and the caramel is bubbling up at the edges. Put a large plate upside down on top of the frying pan and invert so the tart comes out on the plate.

Cawl pwmpen sbeislyd   Digon i 4

Defnyddiwch unrhyw fath o bwmpen ond dyma'r rhai mwyaf blasus – Crown Prince, Munchkin, Queensland Blue a Red Kuri.

CYNHWYSION

- 1kg o bwmpen cnau menyn
- 1 llwy fwrdd o olew had rêp
- 2 tsili coch
- 2 lwy fwrdd o sinsir ffres
- 2 lwy de o hadau cwmin
- 250ml o stoc llysiau
- Tun 400ml o laeth cnau coco
- 1 llwy fwrdd o fêl
- 2 lwy fwrdd o ddail coriander ffres

DULL

1. Pliciwch, tynnu'r hadau, torri'r bwmpen yn ddarnau 2cm a'u stemio am rhyw 10-15 munud.
2. Cynheswch yr olew mewn sosban dros wres cymhedrol. Torrwch y tsilis. Ychwanegwch y sinsir wedi'i gratio, yr hadau cwmin a'r tsilis a choginio am 3 munud. Rhowch y bwmpen a'r gymysgedd sbeisys mewn prosesydd bwyd a'u cymysgu gydag ychydig o stoc tan yn llyfn.
3. Arllwyswch y gymysgedd i'r sosban dros wres cymhedrol. Ychwanegwch weddill y stoc, y llaeth cnau coco a'r mêl a throi tan fod y cawl yn mudferwi ac yn gynnes. Cymysgwch y dail coriander iddo cyn ei weini.

Spicy squash soup   Serves 4

You can use any variety of pumpkin but the best tasting are Crown Prince, Munchkin, Queensland Blue and Red Kuri.

INGREDIENTS

- 1kg of butternut squash
- 1 tbsp of rapeseed oil
- 2 red chillies
- 2 tbsps of fresh ginger
- 2 tsps of cumin seeds
- 250ml of vegetable stock
- 400ml tin of coconut milk
- 1 tbsp of honey
- 2 tbsps of fresh coriander leaves

METHOD

1. Peel, de-seed, chop into 2cm pieces and steam the pumpkin for 10-15 minutes.
2. Heat the oil in a saucepan over a medium heat. Chop the chillies. Add the grated ginger, cumin seeds and chillies and cook for 3 minutes. Place the squash and spice mixture in a food processor or blender and process with a little stock until smooth.
3. Place the squash mixture in a saucepan over a medium heat. Add the remaining stock, coconut milk and honey and stir until the soup is simmering and hot. Stir through the coriander leaves and serve.

Tatws caws pob

Digon i 2

Wedi'u gweini â salad syml, mae'r rhain yn bryd cysurlon unrhyw adeg o'r diwrnod.

CYNHWYSION

- 2 daten fawr
- 100g o gaws cryf Cymreig
- 1 llond llwy fwrdd fawr o winwnsyn
- 1 wy
- 1 llwy de o saws Swydd Gaerwrangon
- 1 llwy de o bowdr mwstard
- 30ml o gwrw
- Pinsiad o bupur caián

DULL

1. Golchwch y tatws a'u pobi yn y popty tan y byddan nhw'n feddal.
2. Gratiwch y caws a'r winwnsyn a churo'r wy yn ysgafn. Cyfunwch y cynhwysion i gyd mewn powlen.
3. Pan fydd y tatws wedi coginio, torrwch nhw'n eu hanner a thynnu'r rhan fwyaf o'r tatws allan. Gadewch o leiaf 1cm ar yr ochr, cyn ychwanegu'r tatws at y gymysgedd caws. Rhannwch y gymysgedd rhwng y pedwar hanner.
4. Rhowch y cyfan o dan gril rhwng cymhedrol a phoeth am 5–10 munud tan y bydd y caws wedi toddi ac yn frown euraid ar y top.

Rarebit loaded jacket potatoes

Serves 2

Served with a simple salad, these make a comforting meal at any time of day.

INGREDIENTS

- 2 large potatoes
- 100g of strong Welsh cheese
- 1 heaped tbsp of onion
- 1 tsp of Worcestershire sauce
- 1 tsp of mustard powder
- 30ml of beer
- 1 egg
- Pinch of cayenne pepper

METHOD

1. Wash and bake the potatoes in the oven until soft.
2. Grate the cheese and onion and lightly beat the egg. Combine all the ingredients in a bowl.
3. When the potatoes are cooked, cut them in half, scoop out most of the potato, leaving at least a 1cm rim and mix with the rarebit mixture. Divide the mixture between the four halves.
4. Place them under a medium–hot grill for 5–10 minutes until the cheese has melted and is golden brown on top.

Salad gaeafol cig eidion Cymreig

Dyma rysáit gan fy merch Elinor sy'n llysgennad i Hybu Cig Cymru. Fel chwaraewraig rygbi rhyngwladol mae'n bwysig ei bod yn bwyta prydau iach, maethlon yn llawn protin fel a geir yma.

Digon i 2–3

CYNHWYSION

- 2 oren
- 1 llwy fwrdd o fêl
- 2 lwy fwrdd o olew olewydd
- 400g o stêc ffolen cig eidion
- 160g o frocoli coesau hir
- 100g o cwinoa, wedi'i goginio
- 100g o ysbigoglys
- 40g o gnau cyll

DULL

1. Rhowch sudd 1 oren mewn powlen a'i gymysgu â'r mêl, yr olew olewydd a'r halen a phupur. Defnyddiwch hanner y gymysgedd i farinadu'r stêc a chadw'r ail hanner ar gyfer y cwinoa.
2. Stemiwch y brocoli'n ysgafn a'i gymysgu mewn powlen gyda'r cwinoa, gweddill y marinâd a'r dail ysbigoglys. Tostiwch y cnau cyll mewn padell ffrio am ychydig o funudau cyn eu torri'n fân.
3. Ar wres uchel, cynheswch badell ffrio sydd ddim yn glynu, tynnwch y stêc o'r marinad a'i choginio yn y badell. Am stêc ganolig coginiwch am ryw 3 funud ar un ochr tan yn frown ac yr un peth ar yr ochr arall. Coginiwch am amser hirach os hoffech goginio'r cig yn dda. Gadewch iddi orffwys am rai munudau cyn ei thorri'n stribedi hir.
4. Piliwch a sleisio'r oren arall a'i ychwanegu at y cwinoa ynghyd â'r stêc a'r cnau cyll. Gweinwch yn gynnes.

Welsh beef winter salad

This is a recipe by my daughter Elinor who is an ambassador for Meat Promotion Wales. As an international rugby player it is important that she eats healthy, nutritious meals full of protein, such as this salad.

Serves 2–3

INGREDIENTS

- 2 oranges
- 1 tbsp of honey
- 2 tbsps of olive oil
- 400g of Welsh rump steak
- 160g of tenderstem broccoli
- 100g of quinoa, cooked
- 100g of spinach
- 40g of hazelnuts

METHOD

1. Juice one orange into a bowl and mix in the honey, olive oil and salt and pepper. Use half of this mixture to marinate the steak and save the other half for the quinoa.
2. Lightly steam the broccoli until just cooked and mix in a bowl with the quinoa, the remaining marinade and spinach leaves. Toast the hazelnuts in a pan for a few minutes before chopping.
3. Heat a non-stick frying pan over a high heat. Remove the steak from the marinade and place in the pan. Cook for 3 minutes on a high heat until browned and repeat on the other side for a medium steak. Cook for longer for well done. Remove from the pan and leave to rest for a few minutes before cutting into thin strips.
4. Peel and slice the other orange and add to the quinoa along with the steak and hazelnuts. Serve warm.

Cig eidion Cymreig, oren a sinsir wedi'u tro-ffrio

Swper sydyn ganol wythnos i ddau neu fwy. Mae cavolo nero yn gefnder i'r cêl ac er mai o Tuscany, yr Eidal y daw'n wreiddiol mae'n tyfu'n hawdd yma. Mae'r dail tal, hir gwyrddlas tywyll iawn yn llawn haearn, calsiwm, fitamin C ac A ac omega-3.

Digon i 2

CYNHWYSION

- Croen a sudd 1 oren
- 1 llwy fwrdd o fêl
- 1 llwy fwrdd o saws soi tywyll
- 250g o stêc ffolen cig eidion Cymreig
- 1 llwy fwrdd o olew llysiau
- 1 winwnsyn coch bach
- 5cm o sinsir ffres
- 2 ewin o arlleg
- 6 deilen cavolo nero (bresych du)
- ¼ bresych Savoy

DULL

1. Torrwch stribedi tenau o'r oren gyda theclyn zester a'u rhoi o'r neilltu. Gwasgwch sudd yr oren a'i roi mewn powlen gyda'r mêl a'r saws soi.
2. Torrwch y braster oddi ar y stêc a'i thorri'n stribedi. Mwydwch yn y gymysgedd sudd oren am o leiaf 20 munud. Gallwch ei gadael dros nos yn yr oergell os ydych yn dymuno.
3. Pliciwch a thorri'r winwnsyn a'r sinsir yn fân a'u coginio gyda'r olew, y garlleg wedi'i falu a phinsiad o halen mewn wok dros wres cymhedrol am 5 munud, gan barhau i'w troi.
4. Ychwanegwch y stêc (heb yr hylif) a thro-ffrio am 3–4 munud cyn ychwanegu'r bresych wedi'i dorri'n stribedi, a'u coginio am 2 funud.
5. Arllwyswch yr hylif sudd oren dros y cyfan a'i ferwi dros wres uchel tan iddo ddechrau carameleiddio. Gweinwch gyda reis neu nwdls, a sgeintio'r stribedi croen oren dros ei ben.

Welsh beef, orange and ginger stir fry

A tasty and speedy midweek supper for two or more. Cavolo nero is a cousin of kale and although originally from Tuscany, Italy it grows well here. The long, tall dark blue-green leaves are full of iron, calcium, vitamin C and A and omega-3.

Serves 2

INGREDIENTS

- Zest and juice of 1 orange
- 1 tbsp of honey
- 1 tbsp of dark soy sauce
- 250g of Welsh rump steak
- 1 tbsp of vegetable oil
- 1 small red onion
- 5cm of fresh ginger
- 2 cloves of garlic
- 6 leaves of cavolo nero (black cabbage)
- ¼ of Savoy cabbage

METHOD

1. Peel thin strips of orange with a zester and put to one side. Squeeze the juice from the orange and put in a bowl with the honey and soy sauce.
2. Remove any fat from the steak and cut into strips. Place in the orange juice mixture to marinate for at least 20 minutes. Leave overnight in the fridge if you wish.
3. Peel and finely slice the onion and ginger and cook with the oil, the crushed garlic and a pinch of salt in a wok over a moderate heat for 5 minutes, stirring continuously.
4. Add the steak (without the juice) and stir fry for 3–4 minutes before adding the cabbage cut into strips and cooking for a further 2 minutes.
5. Pour the orange juice mixture over the stir fry and boil over a high heat until it starts to caramelise. Serve with boiled rice or noodles sprinkled with orange zest.

Asennau Cig Eidion Cymreig gyda Penderyn a blas mwg

Mae'r blas mwg yn y pryd hwn yn deillio o ddŵr mwg a halen mwg unigryw Halen Môn. Gweinwch gyda thatws Sir Benfro wedi'u rhostio, a llysiau gwyrdd neu salad.

Digon i 4

CYNHWYSION

- 2 lwy de o halen mwg Halen Môn ac 1 llwy de o bupur du mân
- 2 lwy de o baprica mwg
- 4 asen fer o gig eidion Cymreig
- 2 lwy fwrdd o wisgi Penderyn
- 2 lwy fwrdd o fêl clir
- 50ml o ddŵr mwg Halen Môn
- 2 winwnsyn coch
- Mymryn o olew, i frwsio

DULL

1. Mewn powlen fach, cymysgwch yr halen, y pupur a'r paprica mwg, yna'u rhwbio dros yr asennau i gyd.
2. Cynheswch ddysgl caserol drom tan y bydd yn chwilboeth, yna browniwch yr asennau ar bob ochr yn dda.
3. Cynheswch y popty i 180°C / Nwy 4. Gwnewch bast gyda'r wisgi, y mêl a hanner y dŵr mwg, a'i dywallt dros yr asennau, yna eu coginio yn y popty am awr.
4. Tynnwch y ddysgl o'r popty ac ychwanegu'r winwns coch a'r rheini wedi'u plicio a'u torri'n 8 darn. Trowch y tymheredd i lawr i 160°C / Nwy 3 a dychwelyd y ddysgl i'r popty i goginio'r cig am awr arall tan ei fod yn frau.
5. Tynnwch yr asennau o'r ddysgl a'u cadw'n gynnes wrth ichi dynnu'r braster oddi ar y sudd. Ychwanegwch weddill y dŵr mwg i'r sudd a chynhesu popeth ar yr hob i'w weini gyda'r asennau a'r winwns coch rhost.

Smokey Penderyn Welsh beef ribs

The smokiness in this dish comes from the unique Halen Môn smoked water and smoked salt. Serve with roast Pembrokeshire potatoes and green vegetables or salad.

Serves 4

INGREDIENTS

- 2 tsps of Halen Môn smoked seasalt and 1 tsp of ground black pepper
- 2 tsps of smoked paprika
- 4 Welsh beef short ribs
- 2 tbsps of Penderyn whisky
- 2 tbsps of clear honey
- 50ml of Halen Môn Smoked water
- 2 red onions
- A little oil, for brushing

METHOD

1. In a small bowl mix the salt, pepper and smoked paprika then use to rub all over the ribs.
2. Heat a heavy based casserole dish until smoking then sear the ribs on all sides until sealed and browned.
3. Heat the oven to 180°C / Gas mark 4. Make a paste with the whisky, honey and half the smoked water and pour over the ribs then cook in the oven for an hour.
4. Remove the casserole dish and add the red onions, peeled and cut into 8 wedges. Reduce the temperature to 160°C / Gas mark 3 and return to the oven and cook for a further hour until the meat is tender.
5. Take the ribs out of the dish and keep warm while you skim off the fat from the juices. Add the remaining smoked water and warm through on the hob before serving with the ribs and roasted red onions.

Cig Eidion Cymreig wedi'i goginio'n araf gyda sgons caws pob a chennin

Digon I 4–6

Mae'r caserol yma'n toddi yn y geg a'r sgons ar ei ben yn dwist ar rysáit caws pob clasurol.

CYNHWYSION

- 1 winwnsyn mawr
- 2 foronen fawr
- 2 goesyn o seleri
- 2 lwy fwrdd o olew
- 700g o gig stiw eidion Cymreig mewn ciwbiau
- 2 lwy fwrdd o flawd plaen
- 400ml o win coch
- 400ml o stoc cig eidion
- 1 llawryf
- 1 llwy fwrdd o deim ffres
- 1 llwy fwrdd o saws Caerwrangon
- 200g o fadarch

Topin

- 250g o flawd codi
- 1 llond llwy de o fwstard sych
- 75g o fenyn
- 100ml o gwrw
- 150g o gaws cheddar Dragon gyda chennin
- 1 wy

DULL

1. Cynheswch y popty i 180°C / Nwy 4. Pliciwch a thorri'r winwns, y moron a'r seleri.
2. Cynheswch yr olew mewn dysgl gaserol a choginio'r cig ychydig ar y tro nes iddo frownio ar bob ochr.
3. Tynnwch y cig o'r ddysgl ac ychwanegu'r winwns, y moron a'r seleri a'u coginio am ryw 5 munud. Sgeintiwch y blawd drostynt a chymysgu'n dda cyn arllwys y gwin dros y cyfan a chrafu unrhyw ddarnau o waelod y ddysgl.
4. Ychwanegwch y stoc, y perlysiau, gan gynnwys y teim ffres wedi'i dorri, y saws Caerwrangon a'r cig. Rhowch glawr ar ben y ddysgl a choginio am 30 munud yn y popty cyn troi'r gwres i lawr i 140°C / Nwy 1 a choginio am 1½ awr arall. Ychwanegwch y madarch wedi'u haneru yn ystod y 30 munud olaf.

Y TOPIN

1. Cymysgwch y blawd a'r mwstard mewn powlen a rhwbio'r menyn i mewn gyda'ch bysedd tan bod y gymysgedd yn debyg i frwision bara. Ychwanegwch hanner y caws a chymysgu'r cyfan.
2. Yn araf deg ychwanegwch y cwrw nes i'r gymysgedd ddod at ei gilydd. Peidiwch â gorgymysgu neu fydd y sgons yn wydn.
3. Rhowch y gymysgedd ar fwrdd wedi'i sgeintio â blawd a ffurfio toes meddal. Gwasgwch neu roliwch y toes allan yn gylchoedd trwch tua 2.5cm. Torrwch 8 siâp sgon a'u brwsio nhw gyda'r wy wedi'i guro a'u rhoi ar ben y caserol. Taenwch weddill y caws dros ben y sgons.
4. Rhowch y cyfan yn ôl yn y popty wedi'i gynhesu i 200°C / Nwy 6 a choginio heb glawr am 20– 25 munud tan ei fod yn euraidd.

Slow cooked Welsh beef with leek rarebit scones

Serves 4-6

This melt in the mouth beef casserole is topped with a twist on the classic Welsh rarebit.

INGREDIENTS

- 1 large onion
- 2 large carrots
- 2 sticks of celery
- 2 tbsps of oil
- 700g of Welsh stewing beef, cubed
- 400ml of red wine
- 400ml of beef stock
- 1 bay leaf
- 1 tbsp of fresh thyme
- 1 tbsp Worcestershire sauce
- 200g chestnut mushrooms
- 2 tbsp plain flour

Topping

- 250g self-raising flour
- 1 heaped tsp of dry mustard
- 75g of butter
- 100ml of beer
- 150g of grated Dragon cheddar with leeks
- 1 egg

METHOD

1. Preheat the oven to 180°C / Gas mark 4. Peel and chop the onion, carrots and celery.
2. Heat the oil in a casserole dish and cook the meat in batches until browned all over.
3. Remove from the pan and add the onions, carrots and celery and fry for 5 minutes. Sprinkle in the flour, mix well and pour over the wine and heat through scraping any charred pieces from the bottom of the pan.
4. Add the stock, herbs, including the chopped thyme, the Worcestershire sauce and return the beef to the pan. Cover with a lid and cook in the oven for ½ hour. Reduce the temperature to 140°C, Gas mark 1 and continue cooking for a further 1½ hours adding the halved mushrooms for the final 30 minutes.

THE TOPPING

1. Mix the flour and mustard in a bowl then add the butter and with your fingertips rub into the flour until it resembles breadcrumbs. Add half the cheese and mix well.
2. Slowly add the beer and bring the mixture together. Do not overwork as this will make the end result tough.
3. Tip onto a floured surface and bring together to form a soft dough. Form into a circle about 2.5 cm thick. Cut out eight scone size circles. Brush with a beaten egg then place on top of the cooked beef.Sprinkle the remaining cheese over the scones.
4. Return to the oven 200°C / Gas mark 6 and bake uncovered for 20–25 minutes until the scones are golden brown.

Mae'n werth brownio'r cig ar y ddwy ochr cyn ei roi yn y caserol am y bydd gwell blas arno yn ystod y broses garameleiddio.

Browning the meat on both sides before adding to the casserole adds extra flavour through the caramelising process.

Selsig cig carw gyda chennin a chwrw

Pryd o fwyd cysurlon mewn un pot. Cyfunir blas cyfoethog y cig carw difraster gydag aeron meryw, perlysiau a chwrw Cymreig arobryn – mae digonedd o ddewis ar gael.

Digon i 4

CYNHWYSION

- 1 genhinen ganolig ei maint
- 2 ewin o arlleg
- 4 tafell o gig moch brith
- 2 lwy fwrdd o olew had rêp
- 8 selsigen cig carw Cymreig
- 150g o fadarch castan
- 1 oren
- 1 llwy de o aeron meryw (dewisol)
- 1 ddeilen lawryf
- 1 llwy fwrdd o rosmari ffres
- 250ml o gwrw
- 1 llwy fwrdd o fêl

DULL

1. Golchwch y genhinen a'i thorri'n ddarnau, malu'r garlleg a thorri'r cig moch yn ddarnau bach. Cynheswch yr olew mewn padell drom fawr dros wres cymhedrol a ffrio'r cennin, y garlleg a'r cig moch am 5 munud.
2. Codwch y gymysgedd cennin o'r badell a'i rhoi o'r neilltu. Ychwanegwch y selsig i'r badell a'u brownio.
3. Pliciwch groen yr oren yn ddarnau hir, tenau. Rhowch y gymysgedd gennin gyda'r selsig, ychwanegu gweddill y cynhwysion (ar wahân i'r mêl) ac arllwys y cwrw i mewn.
4. Gadewch iddo fudferwi am 20 munud nes bod y saws wedi lleihau. Sesnwch gyda halen a phupur ac ychwanegu'r mêl os oes ei angen i wrthgyferbynu â chwerwder y cwrw.
5. Gweinwch gyda thatws potsh hufennog.

Venison sausages with leeks and ale

This one-pot recipe is the ultimate in comfort food, combining the rich flavour of lean venison with juniper and herbs and one of the many award-winning craft ales found in Wales.

Serves 4

INGREDIENTS

- 1 medium leek
- 2 cloves of garlic
- 4 slices of smoked streaky bacon
- 2 tbsps of rapeseed oil
- 8 Welsh venison sausages
- Strips of 1 orange peel
- 150g of chestnut mushrooms
- 1 tsp of juniper berries (optional)
- 1 bay leaf
- 1 tbsp of fresh rosemary
- 250ml of ale
- 1 tbsp of honey

METHOD

1. Wash and chop the leek, crush the garlic and dice the bacon. Heat the oil in a large heavy pan over medium heat and fry the leek, garlic and bacon for 5 minutes.
2. Remove the leek mixture and place to one side. Add the sausages to the pan, browning on all sides.
3. Thinly peel the orange skin into long pieces. Return the leek mixture to the sausages, add the remaining ingredients (except the honey) and pour over the beer.
4. Leave to simmer for 20 minutes until the sauce has reduced. Season with salt and pepper and add honey if needed to balance the bitterness of the beer.
5. Serve with creamy mashed potatoes.

Caserol ffa coch a chnau mwnci

Pryd maethlon sy'n addas i figaniaid a llysieuwyr – defnyddiwch goesau lliwgar ysgallddail yr enfys yn ogystal â'r dail.

Digon i 4

CYNHWYSION

- 1 winwnsyn
- 3 ewin o arlleg
- 1 llwy fwrdd o olew had rêp
- 1 llwy de o naddion tsili
- 1 llwy de o gwmin
- 1 llwy de o sinsir mâl
- 125g o ysgallddail yr enfys
- Tun 400g o domatos
- 4 llwy fwrdd o fenyn cnau mwnci
- Tun 400g o ffa coch
- 1 llwy fwrdd o saws soi
- Llond llaw o goriander ffres

DULL

1. Torrwch y winwnsyn yn fân a malu'r garlleg. Cynheswch yr olew mewn sosban fawr dros wres uchel ac ychwanegu'r winwns a'u gadael i goginio am 5 munud cyn ychwanegu'r garlleg a'r sbeisys a'u coginio am funud.
2. Ychwanegwch y tomatos a'r menyn cnau mwnci a throi'r gwres i lawr tan ei fod yn gymhedrol. Rhowch yr ysgallddail a'r coesau wedi'u golchi a'u torri'n ddarnau cymhedrol yn y sosban a'u troi tan eu bod wedi gwywo. Coginiwch y cyfan am 10 munud.
3. Ychwanegwch y ffa wedi'u draenio a'r saws soi a gadael y cyfan i goginio am 5 munud.
4. Sesnwch gyda halen a phupur os oes angen, a'i weini mewn powlenni gyda'r dail coriander.

Red kidney bean and peanut casserole

A nutritious meal suitable for vegans and vegetarians – do use the colourful stalks as well as the leaves.

Serves 4

INGREDIENTS

- 1 onion, chopped
- 3 garlic cloves
- 1 tbsp of rapeseed oil
- 1 tsp of chilli flakes
- 1 tsp of cumin
- 1 tsp of ground ginger
- 125g of rainbow chard
- 400g tin of tomatoes
- 4 tbsps of peanut butter
- 400g tin of red kidney beans
- 1 tbsp of soy sauce
- Handful of fresh coriander

METHOD

1. Finely chop the onion and crush the garlic. Heat the oil in a large saucepan over a high heat then add the onions and cook for about 5 minutes, before adding the garlic and spices and cooking for a minute.
2. Pour in the tomatoes and peanut butter and reduce the heat to medium. Then add the washed and roughly chopped chard leaves and stalks and stir until the leaves have wilted. Cook for 10 minutes
3. Add the drained beans and soy sauce and leave to cook for 5 minutes.
4. Season with salt and pepper if needed and serve in bowls with the coriander leaves.

Cacen figan betys a siocled

Dyma gacen siocled hyfryd o feddal. I'r rheini nad ydyn nhw'n figaniaid, defnyddiwch 3 wy mawr wedi'u curo yn lle'r hadau chia a'r llaeth planhigion.

CYNHWYSION

- 2 lwy fwrdd o hadau chia
- 350g o fetys wedi'i goginio
- 150ml o olew had rêp
- 175g o siwgr brown tywyll
- 225g o flawd codi
- 50g o bowdr coco
- 1 llwy fwrdd o bowdr pobi
- 2 lwy de o rin fanila
- 50–100ml o laeth planhigion

Eisin
- 175g o siwgr eisin
- 2 lwy fwrdd o sudd y betys
- 30g o siocled tywyll

DULL

1. Cynheswch y popty i 160°C / Nwy 4. Irwch a leinio tun torth 900g.
2. Mwydwch yr hadau chia mewn 5 llwy fwrdd o ddŵr a'u gadael am 30 munud tan y bydd wedi dechrau caledu ac yn debyg i jel.
3. Rhowch y betys mewn prosesydd bwyd a'u prosesu i greu piwrî. Arllwyswch y piwrî i ridyll a'i adael dros bowlen er mwyn i'r sudd ddraenio. Arllwyswch yr olew a'r siwgr i mewn i'r prosesydd a'u cymysgu'n dda. Hidlwch y blawd, y powdr coco a'r powdr pobi a'u hychwanegu i'r gymysgedd gyda'r hadau chia wedi mwydo, y piwrî betys a'r rhin fanila.
4. Cymysgwch bopeth yn dda ac ychwanegu'r llaeth planhigion tan y bydd y gymysgedd yn gallu diferu. Arllwyswch y gymysgedd i'r tun parod a'i pobi am tua 50 munud tan y bydd sgiwer yn dod ohoni'n lân. Tynnwch y gacen o'r tun a'i gadael iddi oeri ar rwyll fetel.
5. Yn y cyfamser, hidlwch y siwgr eisin a'i gymysgu gyda 2 lwy fwrdd o'r sudd betys i greu eisin glacé. Ychwanegwch ddŵr berwedig os yw'r gymysgedd yn rhy dew. Defnyddiwch yr eisin i orchuddio'r gacen. Toddwch y siocled a'i droelli dros y top.

Beetroot and chocolate vegan cake

A deliciously moist chocolate cake – for non-vegans substitute the chia seeds and plant-based milk with 3 large beaten eggs.

INGREDIENTS

- 2 tbsps of chia seeds
- 250g of cooked beetroot
- 150ml of rapeseed oil
- 175g of dark brown sugar
- 225g of self-raising flour
- 50g of cocoa powder
- 1 tbsp of baking powder
- 2 tsps of vanilla essence
- 50–100ml of plant based milk

Icing
- 175g of icing sugar
- 2 tbsps of the beetroot juice
- 30g of dark chocolate

METHOD

1. Heat the oven to 160°C / Gas mark 4. Grease and line a 900g loaf tin.
2. Soak the chia seeds in 5 tbsps of water and leave for 30 minutes until it is set and has a gel-like consistency.
3. Tip the beetroot into a food processor and process to a puree. Pour the purée into a sieve and leave over a bowl for the juice to drain. Pour the oil and sugar into the processor and mix well. Sift the flour, cocoa and baking powder and add to the mixture with the soaked chia seeds, beetroot puree and vanilla essence.
4. Mix well and add the plant-based milk until you reach a dropping consistency. Pour into the prepared tin and bake for around 50 minutes until a skewer comes out clean. Remove from the tin and leave to cool on a wire rack.
5. Meanwhile, sift the icing sugar and mix with 2 tbsps of the beetroot juice to make a glacé icing. Add boiled water if the mixture is too thick. Use the icing to cover the cake. Melt the chocolate and swirl over the top.

Bisgedi ceirch a sbelt

Mae'r bisgedi maethlon hyn yn cyd-fynd yn berffaith â chawsiau Cymreig ac mae modd eu gwneud yn fwy neu'n llai melys yn ôl faint o siwgr a ddefnyddir.

Digon i 15 o fisgedi

CYNHWYSION

- 110g o flawd ceirch canolig
- 110g o flawd sbelt gwenith cyflawn Felin Talgarth
- 25g–50g o siwgr mân
- ½ llwy de wastad o soda pobi
- 85g o fenyn
- 1 wy mawr

DULL

1. Cynheswch y popty i 190°C / Nwy 5 ac iro tun pobi.
2. Cymysgwch y blawd ceirch, y blawd sbelt, y siwgr, yr halen a'r soda pobi gyda'i gilydd.
3. Rhwbiwch y menyn i mewn i'r cynhwysion sych gyda blaen eich bysedd. Curwch ac ychwanegu'r wy a chymysgu'r cyfan yn dda.
4. Rhowch y toes ar fwrdd gwaith ac arno haen denau o flawd ceirch. Rowliwch y toes fel ei fod tua 1cm o drwch a'i dorri'n gylchoedd 7cm.
5. Rhowch y cylchoedd ar y tun pobi a'u coginio yn y popty am 10–15 munud tan y byddan nhw'n lliw euraid.

Oat and spelt biscuits

These wholesome biscuits are the perfect partner for Welsh cheese and you can vary the sweetness by adding more or less sugar.

Makes 15 biscuits

INGREDIENTS

- 110g of medium oatmeal flour
- 110g of Felin Talgarth Mill wholemeal spelt flour
- 25g–50g of caster sugar
- ½ a level tsp of bicarbonate of soda
- 85g of butter
- 1 large egg

METHOD

1. Preheat the oven to 190°C / Gas mark 5 and grease a baking sheet.
2. Mix together the oatmeal flour, spelt flour, sugar, salt and bicarbonate of soda.
3. Rub in the butter with your fingertips. Beat then add the egg and mix well.
4. Place the dough on a working surface sprinkled with oatmeal flour. Roll out to about 1cm thick and cut into 7cm rounds.
5. Place on the baking sheet and bake in the oven at 190°C / Gas mark 5 for 10–15 minutes until cooked and golden.

Pwdin torth sinsir a gellyg

Roedd creu torth sinsir yn hen draddodiad yng Nghymru ac arferid eu gwerthu mewn ffeiriau gwledig. Mae ychwanegu gellyg wedi'u carameleiddio yn creu pwdin i'ch cynhesu. Defnyddiwch ellyg aeddfed ond caled.

CYNHWYSION

I'r haen uchaf
- 4 gellygen ganolig
- 50g o fenyn
- 75g o siwgr muscovado ysgafn

I'r dorth sinsir
- 175g o flawd codi
- 1 llwy de go dda o bowdr sinsir
- ½ llwy de o nytmeg ffres wedi'i gratio
- ½ llwy de o bowdr sinamon
- 75g o fenyn
- 2 wy mawr
- 2 lwy fwrdd o driog du
- 100ml o laeth
- 150g o siwgr muscovado ysgafn
- 1 belen o sinsir cadw

DULL

1. Cynheswch y popty i 180°C / Nwy 4.
2. I'r haen uchaf, pliciwch a thorri'r gellyg yn ddarnau weddol drwchus. Cyfunwch y menyn a'r siwgr i greu cymysgedd hufennog a'i taenu ar hyd gwaelod dysgl 24cm sy'n addas i'r popty, cyn gosod y gellyg ar y top.
3. I wneud y dorth sinsir, hidlwch y blawd, y sbeisys (ar wahân i'r belen sinsir) a phinsiad o halen i bowlen.
4. Toddwch y menyn. Curwch yr wyau, y triog a'r llaeth, y menyn a'r siwgr ac ychwanegu'r cynhwysion sych a'r sinsir cadw wedi'i dorri'n fân. Arllwyswch y gymysgedd dros y gellyg, gan ofalu eu bod wedi'u gorchuddio i gyd.
5. Pobwch am 40–45 munud neu tan y bydd mymryn o ffurf o hyd i'r gellyg, yna tynnu'r ddysgl o'r popty a gadael y cyfan i oeri am ryw 10 munud.
6. Ewch â chyllell o amgylch yr ochrau er mwyn rhyddhau'r pwdin, rhoi'r plât gweini ar ei phen a throi'r cyfan ben i waered.
7. Gweinwch y pwdin yn gynnes gyda chwstard blas rym Barti Ddu os ydych yn dymuno.

Pear gingerbread pudding

Gingerbread was traditionally made across Wales and sold at many country fairs. The addition of caramelised pears makes a warming pudding. Use ripe but firm pears.

INGREDIENTS

For the topping
- 4 medium pears
- 50g of butter
- 75g of light muscovado sugar

Gingerbread
- 175g of self-raising flour
- 1 tsp of ground ginger
- ½ a tsp of nutmeg
- ½ a tsp of ground cinnamon
- 2 large eggs
- 2 tbsps of black treacle
- 100ml of milk
- 75g of butter
- 150g of light muscovado sugar
- 1 ball of stem ginger

METHOD

1. Preheat the oven to 180°C / Gas mark 4.
2. For the topping, peel, core and cut the pears into thick slices. Cream together the butter and sugar and smear over the base of a 24cm ovenproof dish, then arrange the pears on top.
3. To make the gingerbread, sift the flour, spices (apart from the ball of stem ginger) and a pinch of salt into a bowl.
4. Melt the butter. Beat together the eggs, treacle, milk, butter and sugar and mix in the dry ingredients and the finely chopped preserved ginger. Pour over the pears, making sure they are all covered.
5. Bake for 40–45 minutes or until just firm to the touch then remove and leave to stand for about 10 minutes.
6. Run a knife around the sides to release the edges then place the serving plate on top and invert the dish.
7. Serve warm with custard flavoured with Barti Ddu rum if you wish.

Cacen clementin, cardamom ac almonau

Mae'r gacen laith hon yn ddiglwten a heb gynnyrch llaeth ac yn gwella wrth gael ei chadw mewn tun aerglos.

CYNHWYSION
- 4 clementin
- 6 wy mawr
- 220g o siwgr mân
- 300g o almonau mâl
- 1 llwy de o bowdwr codi diglwten
- Hadau 10 pod cardamom
- 2 lwy de o rin fanila
- Siwgr eisin i'w addurno

DULL
1. Berwch y ffrwythau wedi'u gorchuddio â dŵr berwedig mewn sosban ganolig am ryw awr nes eu bod wedi'u coginio'n iawn. Draeniwch y dŵr, torri'r ffrwythau'n hanner a gwaredu'r hadau cyn eu rhoi mewn prosesydd bwyd a'u cymysgu'n biwrî llyfn.
2. Cynheswch y popty i 180°C / Nwy 4. Irwch dun crwn 23cm a'i leinio â phapur gwrthsaim.
3. Cymysgwch yr wyau a'r siwgr tan yn wyn ac yn ysgafn, a phlygu'r almonau, y powdwr codi, yr hadau cardamom wedi malu, y rhin fanila a'r piwrî clementin i'r gymysgedd.
4. Arllwyswch y gymysgedd i'r tun a'i phobi am 50–60 munud tan fod y gacen yn euraid ac wedi coginio drwyddi. Rhowch hi i oeri ar rwyll fetel cyn ei gweini ar blât wedi'i addurno â siwgr eisin.

Clementine, cardamom and almond cake

A moist gluten-and dairy-free cake which improves with keeping in an airtight tin.

INGREDIENTS
- 4 clementines
- 6 large eggs
- 220g of caster sugar
- 300g of ground almonds
- 1 tsp of gluten-free baking powder
- Ground seeds from 10 cardamom pods
- 2 tsps of vanilla essence
- Icing sugar to garnish

METHOD
1. In a medium size saucepan cover the clementines with boiling water and simmer for around an hour until they are cooked. Drain, then cut each clementine in half and remove the seeds before blitzing in a food processor until you have a smooth purée.
2. Preheat the oven to 180°C / Gas mark 4 and line a greased 23cm round cake tin with greaseproof paper.
3. Beat the eggs and sugar until light and fluffy then fold in the ground almonds, baking powder, cardamom, vanilla essence and clementine puree.
4. Pour into the prepared tin and bake the cake for 50–60 minutes until golden and cooked through. Cool on a wire rack then serve on a plate and dust with a little icing sugar.

Cacen oren a rhyg ben i waered

Mae orenau ar eu gorau ac yn llawn melyster o Ionawr tan Ebrill, a defnyddir blawd rhyg sy'n llawn ffeibr ac iddo lai o glwten na blawd cyffredin.

CYNHWYSION

Gwaelod y tun
- 50g o fenyn dihalen
- 50g o siwgr Demerara
- 1 coden fanila
- 6 oren

Cacen
- 300g o flawd rhyg
- 2 lwy de o bowdwr codi
- 2 lwy de o bowdwr sinsir
- 1 llwy de o sbeis cymysg
- ½ llwy de o glofs, wedi malu
- 200g o fenyn dihalen
- 180g o siwgr brown golau
- 180g o driog tywyll
- 2 wy
- 160ml o laeth

DULL

1. Cynheswch y popty i 180°C / Nwy 4 ac iro tun 25cm.
2. Toddwch y menyn a'r siwgr Demerara mewn sosban fach. Hanerwch y goden fanila ar ei hyd ac ychwanegu'r hadau cyn arllwys y gymysgedd dros waelod y tun. Pliciwch a thorri'r orenau'n haenau a'u rhoi dros y gymysgedd.
3. Ar gyfer y gacen, hidlwch y blawd i fowlen gyda phinsiad o halen, y powdr codi a'r sbeisys i gyd a'u cymysgu'n dda.
4. Toddwch y menyn, y siwgr a'r triog dros wres isel a chymysgu'n ofalus i'r blawd. Ychwanegwch yr wyau un ar y tro, yna'r llaeth a chymysgu'n dda. Arllwyswch dros yr orenau a'i pobi am 50–60 munud tan fod y gacen wedi codi a sgiwer yn dod ohoni'n lân. Gadewch iddi oeri yn y tun am 15 munud yna rhowch blât wyneb i waered dros ben y tun a throi'r cyfan drosodd nes bod y gacen yn gorwedd ar y plât.

Upside-down orange and rye cake

Oranges are at their best and sweetest between January and April. The rye flour used in this cake is full of fibre and has less gluten than wheat flour.

INGREDIENTS

Base of the tin
- 50g of unsalted butter
- 50g of Demerara sugar
- 1 vanilla pod
- 6 oranges

Cake
- 300g of rye flour
- 2 tsps of baking powder
- 2 tsps of ground ginger
- 1 tsp of mixed spice
- ½ a tsp of ground cloves
- 200g of unsalted butter
- 180g of light brown sugar
- 180g of dark treacle
- 2 eggs
- 160ml of milk

METHOD

1. Heat the oven to 180°C / Gas mark 4 and grease a 25cm round tin.
2. Melt the butter and Demerara sugar in a small saucepan. Split the vanilla pod into half along its length, add the seeds from the pod and pour over the base of the tin. Peel and slice the oranges and lay the slices over the mixture.
3. For the cake, sieve the flour, a pinch of salt, baking powder and spices in a bowl and mix well.
4. Melt the butter, sugar and treacle over a gentle heat then mix carefully into the flour mixture. Add the eggs one at a time followed by the milk and mix well. Pour over the oranges and bake for 50–60 minutes until risen and a skewer, when placed in the cake, comes out clean. Leave to cool in the tin for 15 minutes then put a plate upside down on top of the tin and invert so the cake comes out on the plate.

Mynegai

Index

Laverbread

Laverbread breakfast burger	33
Laverbread, herb and lemon bites	30
Mini bacon and laverbread muffins	34
Seabass laverbread paper parcels	77

Mushrooms

Glamorgan mushrooms	98
Rarebit garlic mushrooms	97
Sautéed mushrooms and parsnips	102

Pork

Gammon steaks with apple and Welsh cider glaze	109
Hazelnut crusted Welsh pork with blackberry and apple	113
Mini bacon and laverbread muffins	34
Pembrokeshire potato and bacon salad	37

Puddings

Apple and plum with almond crisp	120
Baked apple and ginger with Penderyn custard	117
Coconut meringues and raspberry ripple cream	85
Iced honey and orange loaf with blackberries	82
Lemon pudding	51
Merlyn's magic berries	78
Pear gingerbread pudding	158
Rhubarb fool with honeycomb	55
Roast nectarines with raspberry sauce	86
Summer fruit syllabub trifle	89

Salad

Pembrokeshire potato and bacon salad	37
Perl Las cheese and pear salad	94
Roasted cauliflower salad with tahini dressing	105
Smoked trout, fennel and apple salad	66
Welsh beef winter salad	141

Seafood

Cardigan Bay crab cakes with cockle and laverbread sauce	58
Mussels, bacon and leeks	62
Pembrokeshire seafood tarts	61

Soup

Parsley and leek soup with smoked chicken	131
Spicy squash soup	137
Welsh cheese and leek soup	128

Vegetables

Beetroot, spinach and mushroom tortillas	101
Caerphilly cheese, onion and pepper tart	65
Caramelised root vegetable tart	134
Cauliflower and chickpea curry	42
Fish pie jackets	38
Glamorgan mushrooms	98
Parsley and leek soup with smoked chicken	131
Picnic loaf	69
Rarebit loaded jacket potatoes	138
Red kidney bean and peanut casserole	153
Roasted cauliflower salad with tahini dressing	105
Sautéed mushrooms and parsnips	102
Spicy squash soup	137
Welsh cheese and leek soup	128

Venison

Venison sausages with leeks and ale	150